JN309334

ちいさな刺しゅう

この本で紹介する図案は
おもに私の幼い頃の記憶や
北欧滞在中のエピソードを
モチーフにしたものです
皆さんにもそれぞれの
図案にまつわる「ちいさなお話」が
きっとあるでしょう
それを思い出しながら
静かなひとときを過ごしてください

佐藤ちひろ

NHK出版

もくじ

美しい刺しゅうに仕上げるために　004

刺しゅうの基礎　005

基本のステッチ　006

うさぎ	008				
ひつじ	012				
カエル	016				
おんなのこ	020				
いちご	024				
はりねずみ	028				
いす	032				
テディベア	036	ぼうし	044	さかな	084
ゆきだるま	040	にんじん	048	ペンギン	088
		ちょうちょ	052	ねこ	092
		こがねむし	053	ハンバーガー	096
		はち	056	ロバ	100
		いぬ	060	つばめ	104
		じてんしゃ	064	はな	108
		きつね	068	とうがらし	112
		てんとうむし	072	りんご	116
		スニーカー	076	アスパラガス	120
		こうのとり	080	いえ	124

美しい刺しゅうに仕上げるために

材 料

布
目の細かい平織りの布は、ステッチの針目が落ち着いて刺しゅうがきれいに仕上がります。この本ではおもにブロード、シーチング、シャークスキンなどのコットンと、リネンを使用しています。

糸
この本ではおもに25番刺しゅう糸を使用しています。そのほかに、レーヨン糸やラメ糸を部分的にアクセントとして使用しています。
（　）内の色番号はDMCのものですが、ご自分で布地の色に合わせたり、好みの色合わせをアレンジして楽しんでください。

製図の数字の単位はcmです。

用 具

針
ステッチ刺しゅうには、フランス刺しゅう針を使います。25番刺しゅう糸1〜3本どりの場合は9番の針を、4〜6本どりの場合は6番の針を使用します。
スタンプワークなど、糸の針目だけをすくう場合は先の丸いクロスステッチ針の24番を使います。ない場合はフランス刺しゅう針の頭部分を使ってもよいでしょう。

はさみ
糸切りばさみや刺しゅうばさみなど、よく切れる小さめのものを使いましょう。

刺しゅう枠
枠はなくても構いません。サテンステッチ（以下＝S）やコーチングSなど糸を引きすぎてしまいがちなステッチの場合は、布をピンと張ることができるので使ってもよいでしょう。

| ブロード | シーチング | シャークスキン | リネン |

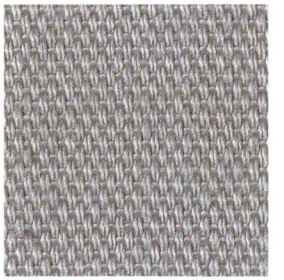

刺しゅうの基礎

図案の写し方

各ページの「写す図案」をトレーシングペーパーに写します（余分なラインは写さないように注意）。転写紙を布とトレーシングペーパーの間に入れ、ボールペンなどで図案をなぞって写します。
見えにくい場合は印つけペンでなぞります。転写紙や印つけペンは、水で消えるタイプがきれいに仕上がります。事前に必ず布端で試してください。

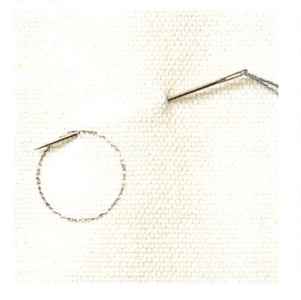

刺し始めと刺し終わり

使いやすい糸の長さは約60cmです。2本以上を使う場合、糸は1本ずつ6本の束から引き抜いて、あらためてそろえて使います。ラメ糸やレーヨン糸は縫いにくいので40cm程度で使います。
刺し始め、刺し終わりとも玉結びをしません。刺し始めは布の余白に表側から刺して、糸を10cmぐらい残しておきます。
糸の始末は、裏側の糸の中を2〜3cmくぐらせて際で切ります。裏側をきれいに始末すると表側もきれいに仕上がります。

仕上げアイロン

まず水洗いをして図案のラインを消します。タオルの間に刺しゅう布をはさんで軽く水分を取り除きます。柔らかいアイロン台に刺しゅうの裏側を上にして置き、ドライアイロンを押しすべらしながらしっかりとかけます。アイロンの温度は布に合わせて設定し、布全体が完全に乾くまでしっかりとかけます。
細かいシワがある場合は、アイロンの先を細かく動かしてシワを取り除いてから全体をかけます。アイロンがけがしっかりできると、刺しゅうがきれいに仕上がります。

刺しゅうの楽しさ

同じ図案を同じように刺しても、人によってずいぶんと仕上がりが変わります。それが手刺しゅうの楽しさであり魅力です。また、同じ図案でも色やステッチを変えることで、まったく違う印象に仕上がります。
間違いや失敗はありません。針を持つ時間をどうぞ楽しんでください。

刺し始め　刺し終わり

基本のステッチ

これから紹介する刺しゅう図案は、この13のステッチを覚えておけば刺すことができます。

アウトラインS

線や面を埋める際に使います。芯入りサテンSの芯としても使います。針の返し分量が多いと太いラインに、返し分量が少ないと細いラインになります。

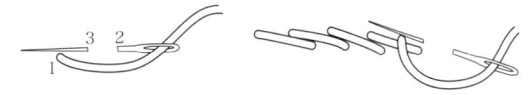

バックS

線を表現する際に使います。美しい曲線が刺せるので、細かい図案に向いています。

チェーンS

レゼーデージーSをつないでラインを表現します。

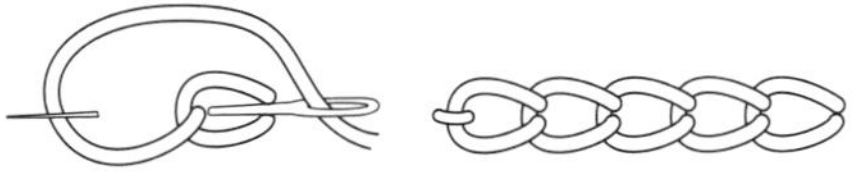

コーチングS

線や面を埋める際に使います。3～6本どりの糸と1本どりの糸を別々の針に通し、1本の糸で止めていきます。

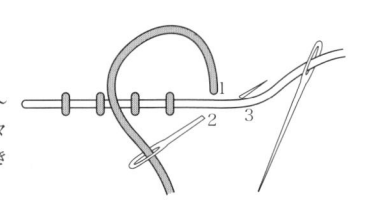

サテンS

面を埋める際に使います。ふくらみを出したい場合は、異なる方向に刺して重ねます。また、アウトラインSやバックSを芯にしてその上から刺すと厚みを出すことができます。

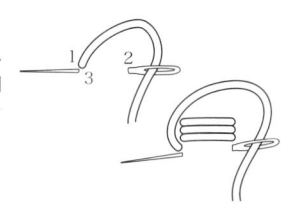

フライS

Vの字を表現するときに使います。例えば、「さかな」のしっぽなどに使います。

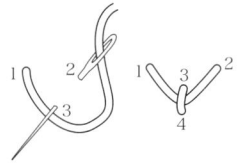

ストレートS

細かい直線を表現する際に使います。例えば、「ひつじ」の足や草などに使います。

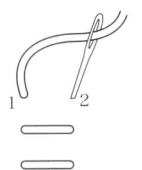

006

フレンチノットS

丸い点や面を表現する際に使います。仕上げたいノットの大きさに合わせて巻く回数を、仕上げたい雰囲気に合わせて糸を引く強さを調節します。

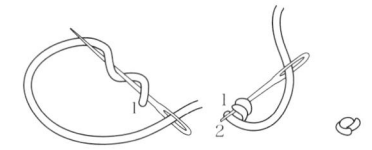

レゼーデージーS

小花や小さい葉を表現する際に使います。

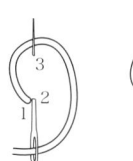

ロング&ショートS

広い面を埋める際に使います。2段目以後は前の段の糸と糸の間に刺し入れます。

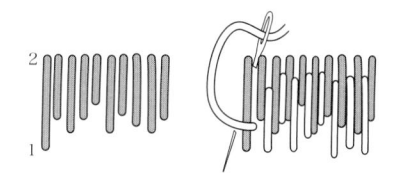

バリオンS

仕上げたいステッチの大きさに合わせて、巻く回数を調節します。

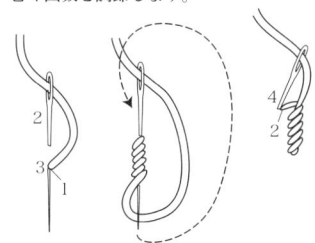

ブランケットS

縁回りを表現する際などに使います。例えば、「さかな」のしっぽやひれなどに使います。

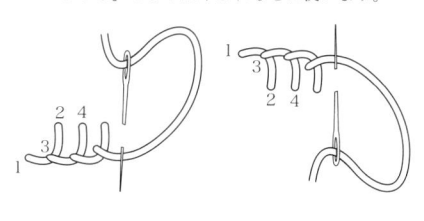

ボタンホールS

この本ではスタンプワークのベースや「三角形の縁飾り」に多く使っています。

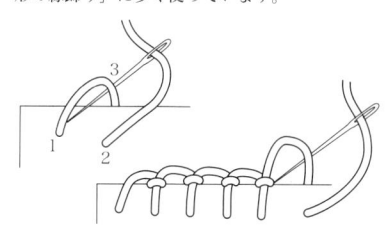

スタンプワークについて

レイズド・ワークとも呼ばれるこの技法は、ステッチ目をすくって図案どおりに布を織り上げるようにかがっていき、中に綿を詰めて立体的に仕上げます。

008

009

うさぎ

kanin

うさぎ

スウェーデンを旅していたときのこと。公園のベンチで手紙を書いていると、草むらからうさぎが顔を出した。目が合ったので、かじりかけのりんごをあげてみると、うさぎは嬉しそうにその場でりんごを食べた。子供の頃によく読んだ『不思議の国のアリス』や『ピーターラビットのおはなし』に出てくるうさぎは、洋服を着ていて2足で歩いて、お話もできる。本当にそんなうさぎがいたら、ぜひお友達になりたいと思っていた。

写す図案（実物大）　　刺す図案

刺し方

- ロング＆ショートSは写真を参照しながら、毛並みの方向に注意して刺す。
- 色の境界線は糸と糸の間に刺し入れてぼかすように。グラデーションは濃い色から刺す。
- すべて1本どりで刺す。

1　耳の白い部分と足の裏をアイボリー(ECRU)でサテンS。
2　部分をキャメル(612)でロング＆ショートS、中間部分をベージュ(613)でロング＆ショートS、白い部分を(ECRU)でロング＆ショートS。
3　目を焦げ茶(3371)でフレンチノットS（2回巻き）、鼻と口、足先を(3371)でストレートS、花をピンク(224)でレゼーデージーS、花の茎をライトグリーン(3053)でストレートS、ほっぺたを(224)でストレートS。

011

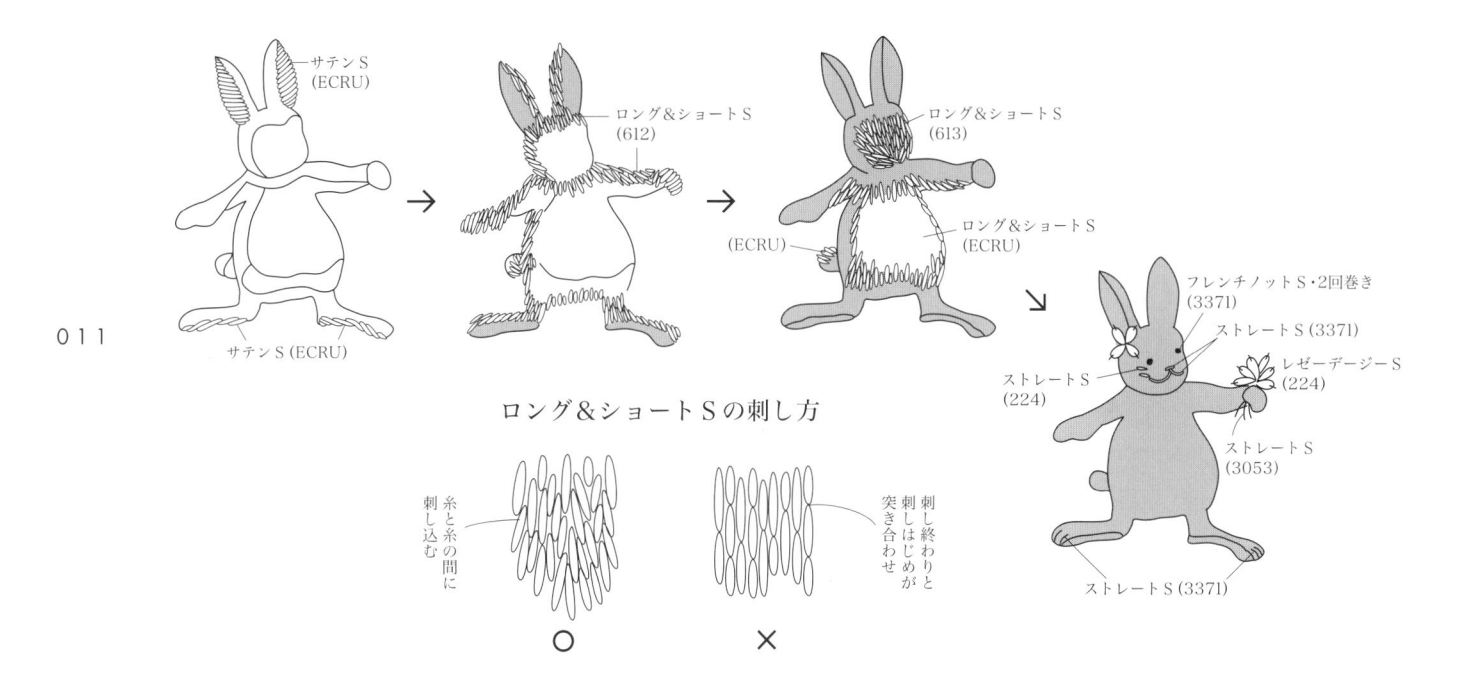

サテンS (ECRU)

サテンS (ECRU)

ロング&ショートS (612)

ロング&ショートS (613)

ロング&ショートS (ECRU)

(ECRU)

フレンチノットS・2回巻き (3371)

ストレートS (3371)

レゼーデージーS (224)

ストレートS (224)

ストレートS (3053)

ストレートS (3371)

ロング&ショートSの刺し方

糸と糸の間に刺し込む

○

刺し終わりと刺しはじめが突き合わせ

×

012

ひつじ

får

ひつじ

デンマーク滞在中に、いちばん多く見かけた動物はひつじだった。ゆるやかに広がる草原に、ぽつんぽつんと点在するひつじたちを見ていると、とても穏やかな気持になった。留学して間もない頃、手工芸学校の近くにあるヒースの丘へ授業の後にみんなで出かけた。そこには道をさえぎるようにたくさんのひつじたちがいた。まったく動こうとしないひつじたちに、仕方なく私たちは車を降りて、丘の上でおしゃべりをして待っていた。

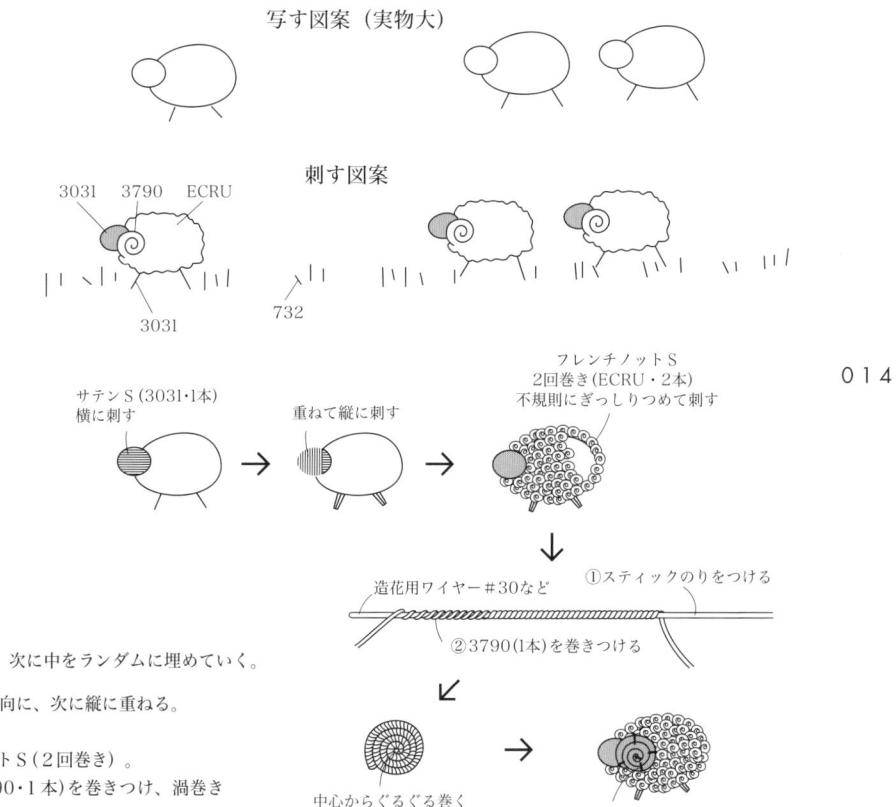

写す図案（実物大）

刺す図案

3031　3790　ECRU

3031

732

サテンS（3031・1本）
横に刺す

重ねて縦に刺す

フレンチノットS
2回巻き（ECRU・2本）
不規則にぎっしりつめて刺す

造花用ワイヤー#30など
①スティックのりをつける
②3790(1本)を巻きつける

中心からぐるぐる巻く
（大きさは適宜）

要所を縫い止める

014

刺し方

- 毛のフレンチノットSは、まず輪郭線上を刺し、次に中をランダムに埋めていく。

1　頭を焦げ茶（3031・1本）でサテンS。まず横方向に、次に縦に重ねる。
2　足を（3031・1本）でストレートS2回。
3　毛をアイボリー（ECRU・2本）でフレンチノットS（2回巻き）。
4　角。針金にスティックのりをつけ、薄茶（3790・1本）を巻きつけ、渦巻き状にして、（3790・1本）で縫い付ける。
5　草をカーキ（732・1本）でストレートS。

★ミニポーチ

製図

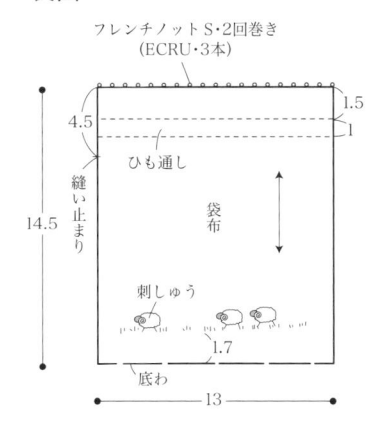

フレンチノット S・2回巻き
(ECRU・3本)

4.5
1.5
1
ひも通し
縫い止まり
14.5
袋布
刺しゅう
1.7
底わ
13

刺しゅう糸で作るコードの作り方

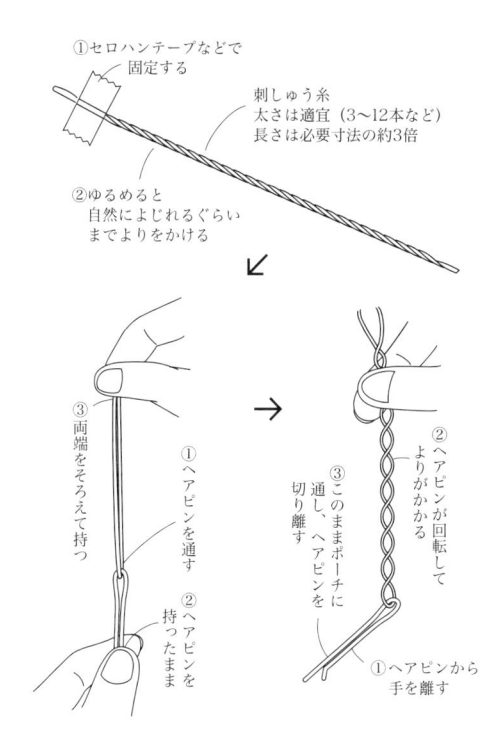

①セロハンテープなどで固定する

刺しゅう糸
太さは適宜（3～12本など）
長さは必要寸法の約3倍

②ゆるめると自然によじれるぐらいまでよりをかける

③両端をそろえて持つ
①ヘアピンを通す
②ヘアピンを持ったまま

①ヘアピンから手を離す
②ヘアピンに通し、ヘアピンを切り離す
③このままポーチに通し、ヘアピンを切り離す
※ヘアピンが回転してよりがかかる

材料と作り方ポイント

布（麻、ブロードなど適宜）······タテ36×ヨコ17cm
25番刺しゅう糸（ECRU・732・3031・3790）······各1束

- ポーチの作り方は51ページ参照。
- ひもは刺しゅう糸で作るコード（スタート時6本どり）、長さ約32cmを2本通す。

016

カエル

frø

017

カエル

デンマークはデザインの国。それは、コペンハーゲンの空港に降りたその瞬間から感じること。スーパーに行くと、食品や日用品のパッケージデザインの美しさに目を奪われる。たまごや牛乳のパッケージは、そのまま飾っておきたくなるほどのかわいさだ。一番のお気に入りは、ニッコリと笑ったカエルマークの食器用洗剤。毎日の食事の片づけが、ちょっと楽しくなった。

写す図案（実物大）　　　刺す図案

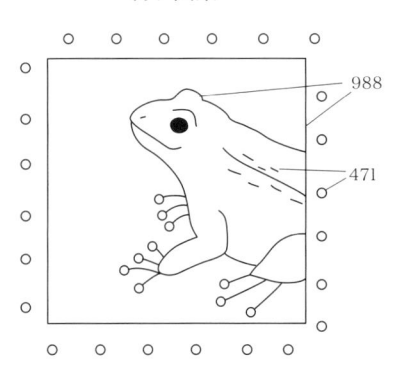

988
471

刺し方

- バリオンSは丸みが出るように、針に糸を多めに巻くとよい。

1　体の輪郭線と背中の中心になるラインをグリーン（988・2本）でバックS。
2　足先を（988・2本）でバリオンS、ライトグリーン（471・2本）でフレンチノットS（2回巻き）。
3　背中の模様を（988・2本）でバックS、（471・2本）でストレートS。
4　目を（988・1本）でサテンSとフライS、鼻を（988・1本）でストレートS、口を（988・1本）でバックS。
5　フレームを（988・2本）でアウトラインS、（471・2本）でフレンチノットS（2回巻き）。

019

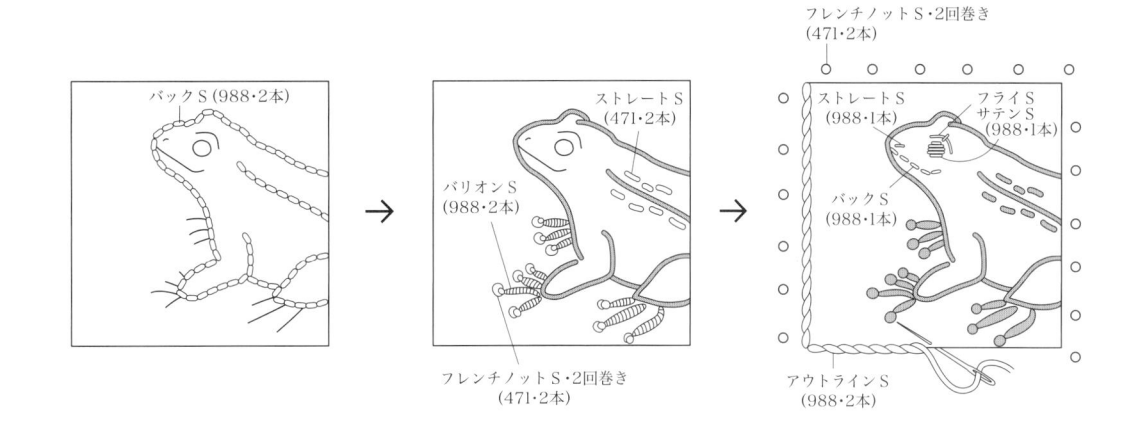

バックS(988・2本)

→

ストレートS
(471・2本)

バリオンS
(988・2本)

フレンチノットS・2回巻き
(471・2本)

→

フレンチノットS・2回巻き
(471・2本)

ストレートS
(988・1本)

フライS
サテンS
(988・1本)

バックS
(988・1本)

アウトラインS
(988・2本)

020

021

おんなのこ

pige

おんなのこ

初めての北欧の友人は、スウェーデン人のマリアンヌ。スウェーデンの首都・ストックホルムで出会った彼女は、透き通るような金色の髪と美しい青い瞳を持ったおんなのこ。当時、10歳だった彼女は、高校生の私よりも英語が上手で、長い間、英語で文通を交わした。数年後、大学の語学研修旅行中に彼女を訪ねて再会をした。習い立てのスウェーデン語であいさつすると、とても驚いて、すてきな笑顔で喜んでくれた。

写す図案（実物大）　　　刺す図案

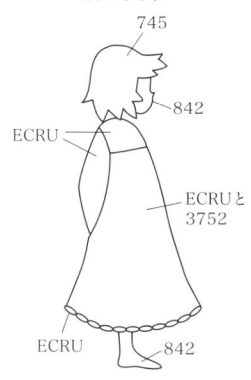

745
842
ECRU
ECRUと3752
ECRU　842

刺し方

- 髪の毛は方向に注意して刺す。
- スカートのすそは、コーチングSに少し重なるようにチェーンS。

1　顔と足をベージュ(842・1本)でサテンS。
2　髪をクリームイエロー(745・1本)でロング＆ショートS。写真を参照しながら刺す。
3　胸と腕をアイボリー(ECRU・1本)でサテンS。
4　スカートをコーチングS。アイボリー(ECRU・3本)をライトブルー(3752・1本)で止める。
5　スカートのすそを(ECRU・1本)でチェーンS。

023

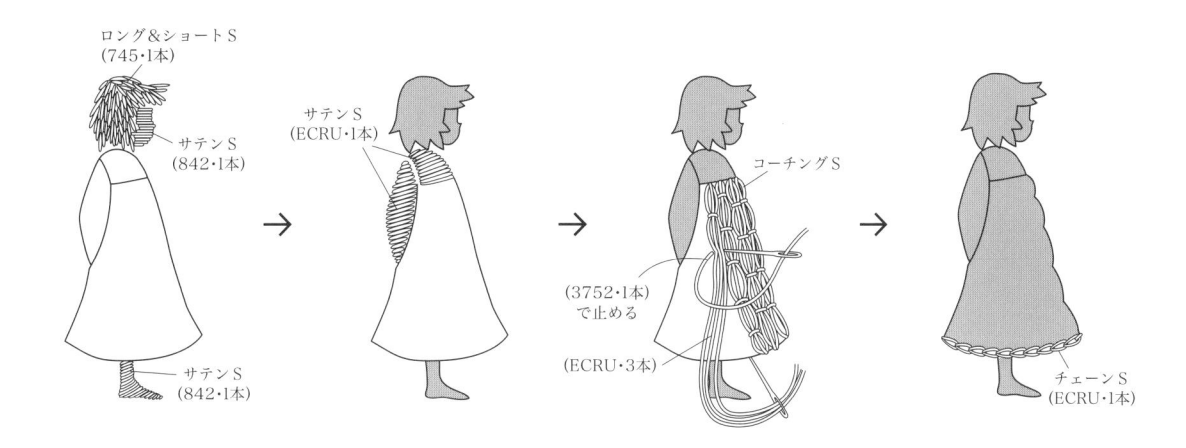

ロング&ショートS
(745・1本)

サテンS
(842・1本)

サテンS
(842・1本)

→

サテンS
(ECRU・1本)

→

コーチングS

(3752・1本)
で止める

(ECRU・3本)

→

チェーンS
(ECRU・1本)

024

いちご

jordbær

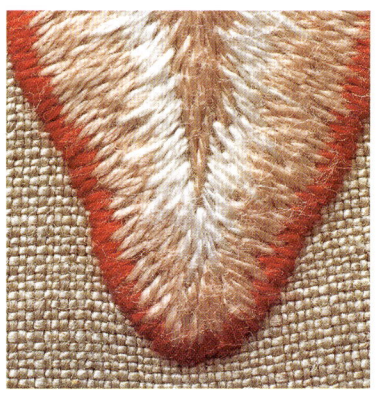

いちご

デンマークのとあるデザートを思い出す。Rødgrød med fløde というもので、いちごを砂糖で煮つめて冷まし、お好みで生クリームやミルクをかけて頂く。見た目はあまり美しいものではないが、素朴で懐かしい味がしておいしい。太陽が明るく輝いている夏の日に庭やテラスで頂くと、とても幸せな気分になった。デンマーク語は発音が難しいと言われるが、このデザートの名は外国人にとって最も難しい言葉の一つ。私のお気に入りのデザートだったが、喉が詰まりそうな発音なのでなかなかリクエストできなかった。

写す図案（実物大）　　　刺す図案

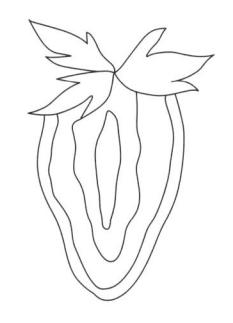

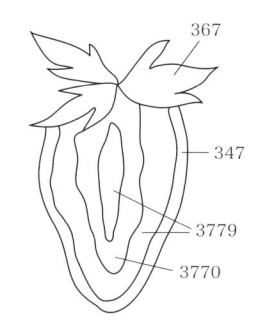

367
347
3779
3770

刺し方

- 色の境界線は写真を参照しながら、糸と糸の間に針を刺し入れるように刺す。
- すべて1本どりで刺す。
1　中心からピンク(3779)でロング＆ショートS、淡いピンク(3770)でロング＆ショートS、(3779)でロング＆ショートS、赤(347)でサテンS。
2　葉をグリーン(367)でロング＆ショートS。

027

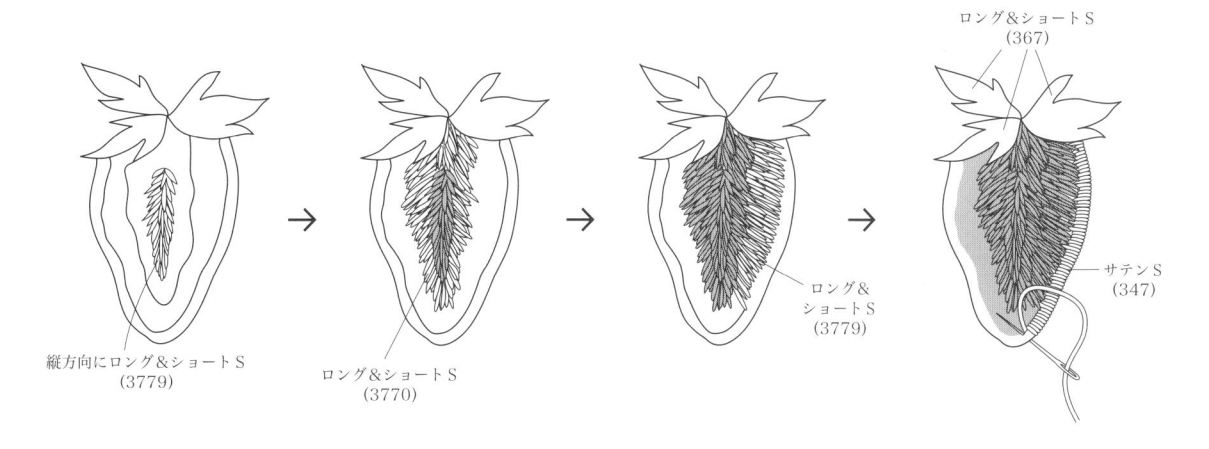

縦方向にロング&ショートS
(3779)

ロング&ショートS
(3770)

ロング&ショートS
(3779)

ロング&ショートS
(367)

サテンS
(347)

028

はりねずみ

pindsvin

029

はりねずみ

デンマークで一人暮らしを始めて間もない頃だった。お隣さんを訪ねようとドアを開けると、そこに小さい何かが落ちていた。しゃがんでよく見るとそれは、はりねずみ。針を突き出して必死にまるまっている姿がとても愛らしかった。玄関のすぐ外にいたので、まさか私を訪ねに来たわけではないが、なんだかとても嬉しかった。

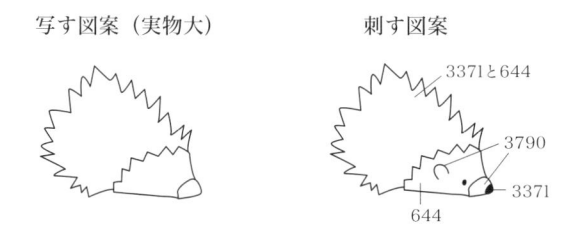

写す図案（実物大）

刺す図案
3371と644
3790
3371
644

刺し方

- 鼻部分の色の境界線は糸と糸の間に針を刺し入れるようにしてぼかす。
- 針部分は間隔をあけてざっくり刺すと、針のとがった感じが出る。
- すべて1本どりで刺す。

1 鼻部分を薄茶(3790)でサテンS。
2 顔をベージュ(644)でロング＆ショートS。
　写真を参照しながら刺す。
3 耳を(3790)でバリオンS。
4 目を焦げ茶(3371)でフレンチノットS（2回巻き）、
　鼻先を(3371)でストレートS（2回）。
5 針部分を(3371)と(644)でストレートS。

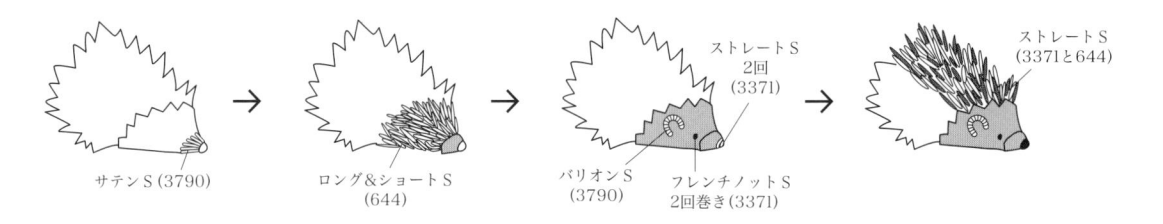

サテンS(3790) → ロング＆ショートS(644) → バリオンS(3790)　フレンチノットS 2回巻き(3371)　ストレートS 2回(3371) → ストレートS(3371と644)

★ピンクッション

製図

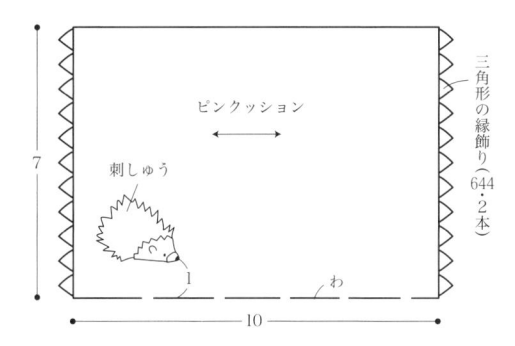

ピンクッション
刺しゅう
三角形の縁飾り（644・2本）
7
10
わ
1

材料と作り方ポイント

布（ブロードなど適宜）……タテ12×ヨコ16cm
25番刺しゅう糸（3790・644・3371）……各1束
綿……適宜

- 1cmの縫い代をつけて布を裁ち、図の位置に刺しゅうをする。周辺を縫って表に返し、両側に縁飾りをかがり、綿を詰めてとじる。

三角形の縁飾りのかがり方

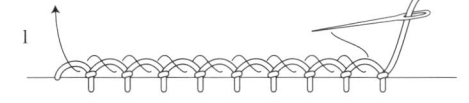

1 左端から右端まで、等間隔にボタンホールSをかがり、右から左へ巻きかがりで戻る。

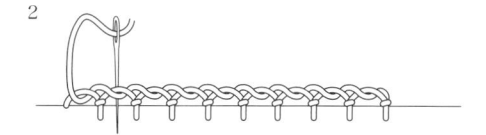

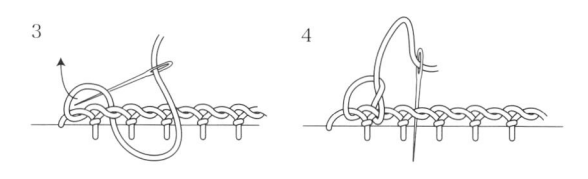

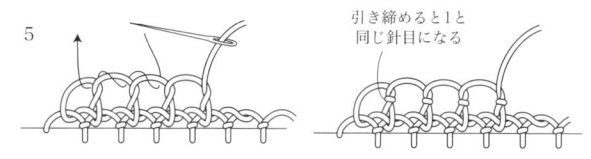

2

3

4

5 2〜4を参照して4ループをかがり、右端をとばして巻きかがりで戻る。ボタンホールSは1目ずつ引き締める。

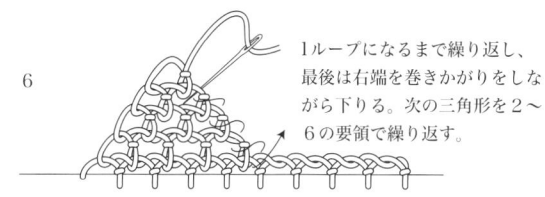

引き締めると1と同じ針目になる

6 1ループになるまで繰り返し、最後は右端を巻きかがりをしながら下りる。次の三角形を2〜6の要領で繰り返す。

032

いす

stol

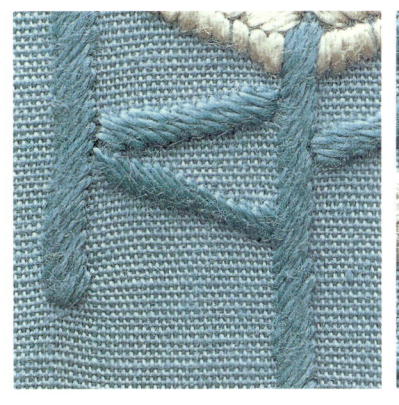

033

いす

北欧の家具は美しい。特にいすは魅力的。シンプルでモダンなのに、温かくてナチュラル。友人と訪れた家具メッセでその魅力にすっかりはまってしまった。老人ケア施設では、自宅で使っていた家具をそのまま持ち込めるそうだ。家具は北欧の人々にとって日々の暮らしの中で最も大切なものなのかもしれない。使いやすいものを長く大切に使う。北欧の人々のライフスタイルに本当の豊かさを感じる。

写す図案（実物大）

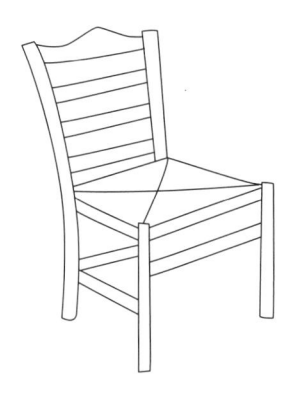

刺し方

● シート部分は少し間隔をあけてざっくりと刺す。

1 背もたれ部分をブルー(3810・1本)でサテンS
2 フレーム部分を(3810・1本)でサテンS。
3 シート部分をキャメル(612・2本)でサテンS。

035

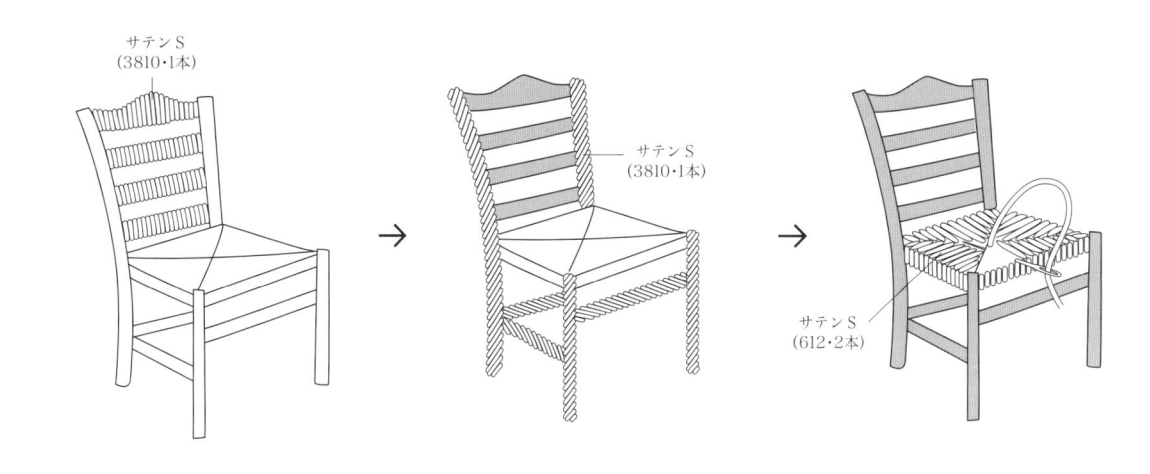

サテンS
(3810・1本)

サテンS
(3810・1本)

サテンS
(612・2本)

036

テディベア

bamse

テディベア

ストックホルムには、中世の雰囲気がそのまま残る旧市街「ガムラ・スタン」がある。そこには小さなカフェやレストラン、かわいい雑貨屋さんなど、たくさんのお店が並んでいる。アンティークショップも多く、その一軒一軒を見て回るのはとても楽しい。予定外の買い物をすることも多く、2匹のテディベアもそうだった。作者も年代も不明だったが、一目で気に入り買ってしまった。ストックホルムに着いてまだ2日目のことで、それから1か月の旅を2匹のテディベアとすることになった。

写す図案（実物大）　　　刺す図案

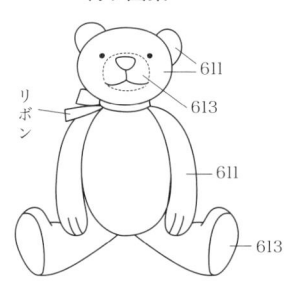

刺し方

- 顔・体・腕・足はスタンプワークで立体的に作り、顔の表情（目・鼻・口）は表面だけをすくって刺す。

1　顔の輪郭を茶(611・2本)でアウトラインSし、その針目をすくいながらボタンホールS。順次減らし目をしながらかがる。
2　顔の中央部分をベージュ(613・2本)でボタンホールSし、綿を詰めてとじる。
3　耳を(611・2本)でボタンホールSと巻きかがり(123ページ、三角形の縁飾り参照)。
4　体は顔と同じ要領で、腕・足・足底は86、87ページを参照してかがり、それぞれ綿を詰めてとじる。
5　目を焦げ茶(3371・2本)でフレンチノットS(2回巻き)、鼻と口・手先を(3371・1本)でストレートS。
6　刺しゅう用のリボンを首回りに縫い止める。

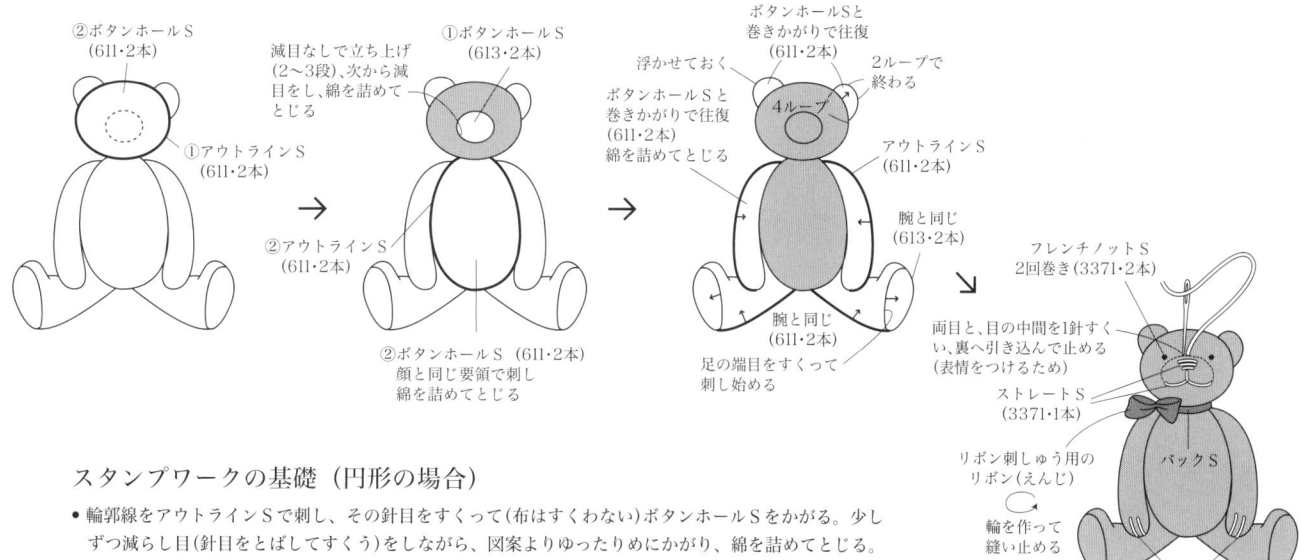

039

② ボタンホールS
(611・2本)

① アウトラインS
(611・2本)

減目なしで立ち上げ(2〜3段)、次から減目をし、綿を詰めてとじる

① ボタンホールS
(613・2本)

② アウトラインS
(611・2本)

② ボタンホールS (611・2本)
顔と同じ要領で刺し綿を詰めてとじる

ボタンホールSと巻きかがりで往復
(611・2本)

浮かせておく

2ループで終わる

ボタンホールSと巻きかがりで往復
(611・2本)
綿を詰めてとじる

4ループ

アウトラインS
(611・2本)

腕と同じ
(613・2本)

腕と同じ
(611・2本)

足の端目をすくって刺し始める

フレンチノットS
2回巻き(3371・2本)

両目と、目の中間を1針すくい、裏へ引き込んで止める
(表情をつけるため)

ストレートS
(3371・1本)

リボン刺しゅう用のリボン(えんじ)
輪を作って縫い止める

バックS

ストレートS
(3371・1本)

スタンプワークの基礎（円形の場合）

- 輪郭線をアウトラインSで刺し、その針目をすくって(布はすくわない)ボタンホールSをかがる。少しずつ減らし目(針目をとばしてすくう)をしながら、図案よりゆったりめにかがり、綿を詰めてとじる。
- テディベアの顔・体、てんとうむしに共通。

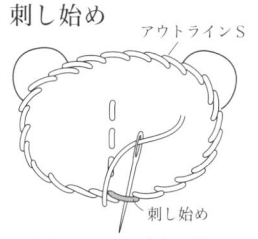

刺し始め

アウトラインS

刺し始め

アウトラインSの外側に針を出し、ボタンホールSを始める。アウトラインSはなるべく細かい針目で刺し、ボタンホールSの糸はしっかり引く。

段の移行

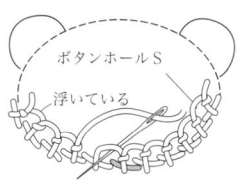

ボタンホールS

浮いている

段の最後は、最初のループをすくってボタンホールS。減目(目をとばしてすくう)をしながら内側の円まで繰り返す。

糸かえ・色かえ

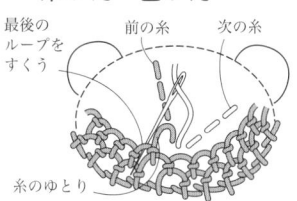

最後のループをすくう

前の糸　次の糸

糸のゆとり

後で綿を詰めるので、必ず糸にゆとりを持たせて返し縫いをして終わる。次の糸の最初も同じ要領でゆとりを持たせておく。

040

041

ゆきだるま

snemand

ゆきだるま

留学先のデンマークで初めて雪を見たのは11月半ばのことだった。北欧では、冬の間はとても日が短く、午後3時くらいから暗くなり始める。雪が降り出したのもそんな時間だった。夜の間もずっと降り続き、翌朝には真っ白な世界が窓の外に広がっていた。嬉しさのあまり外に出てみると、朝日に光るゆきだるまがいた。早起きして朝一番に誰かが作ったらしい。そのゆきだるまの写真は、その年の私のクリスマスカードになった。

写す図案（実物大）　　　　刺す図案

銀ラメ糸

ECRU

刺し方

- ロング＆ショートSは、写真を参照しながら丸みに沿うように刺す。
- すべて1本どりで刺す。

1　雪部分をアイボリー(ECRU)でロング＆ショートS。
2　マフラーを黄(725)でサテンS。
3　シルクハットをネイビー(823)でサテンS。
4　目をグレー(535)でフレンチノットS（2回巻き）、鼻をオレンジ(921)でアウトラインS、口・手を(535)でストレートS。
5　星を銀ラメ糸でストレートS。

043

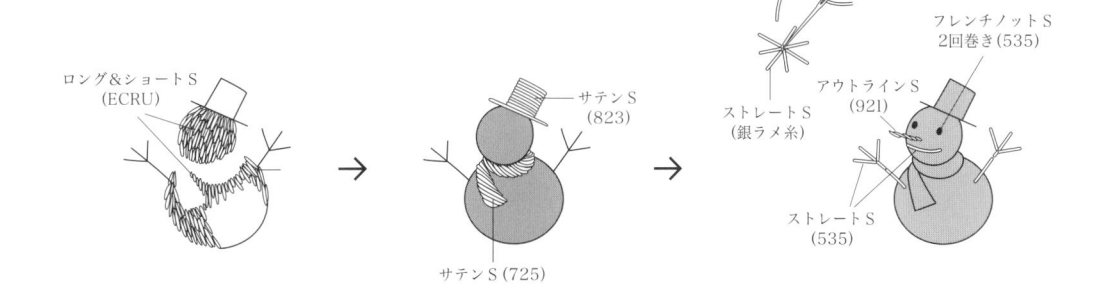

ロング&ショートS
(ECRU)

サテンS
(823)

サテンS (725)

フレンチノットS
2回巻き (535)

ストレートS
(銀ラメ糸)

アウトラインS
(921)

ストレートS
(535)

044

ぼうし

hue

ぼうし

クリスマス休暇に南スウェーデンに住む知人の老夫婦を訪ねた。イヴの夜は、たくさんの子どもや孫たちも集まり、にぎやかなクリスマスパーティーになった。25日の早朝は、−25℃の寒さの中、教会の礼拝に出かけた。スウェーデンで迎える初めてのクリスマスはとても印象的だった。デンマークに戻る日、お別れのあいさつに来てくれた5歳のポントスと3歳のマティアスは、おばあちゃんが編んでくれた毛糸のぼうしをかぶっていた。まるでクリスマスに登場する小さな妖精・ニッセのようでとてもかわいかった。

写す図案（実物大）　　　刺す図案

刺し方

- ポンポンは仕上げアイロンをかけた後でつける。ループは様子を見ながら少しずつ切りそろえ、最後に指先でこすってパイル状にする。
- すべてアイボリー(ECRU)で刺す。

1　顔の輪郭・髪の毛・えりをアイボリー(ECRU・1本)でアウトラインS、ボタンを同じ糸でフレンチノットS（2回巻き）。
2　ぼうしを(ECRU・2本)でチェーンS。
3　折り返し部分の下端を(ECRU・2本)でアウトラインS。アウトラインSの針目をすくって「ボタンホールSをし、巻きかがりで戻る」の「　」内を繰り返す(86ページ参照)。
4　95ページを参照して、トップ（ポンポン部分）に(ECRU・3本)でターキーノットS。

047

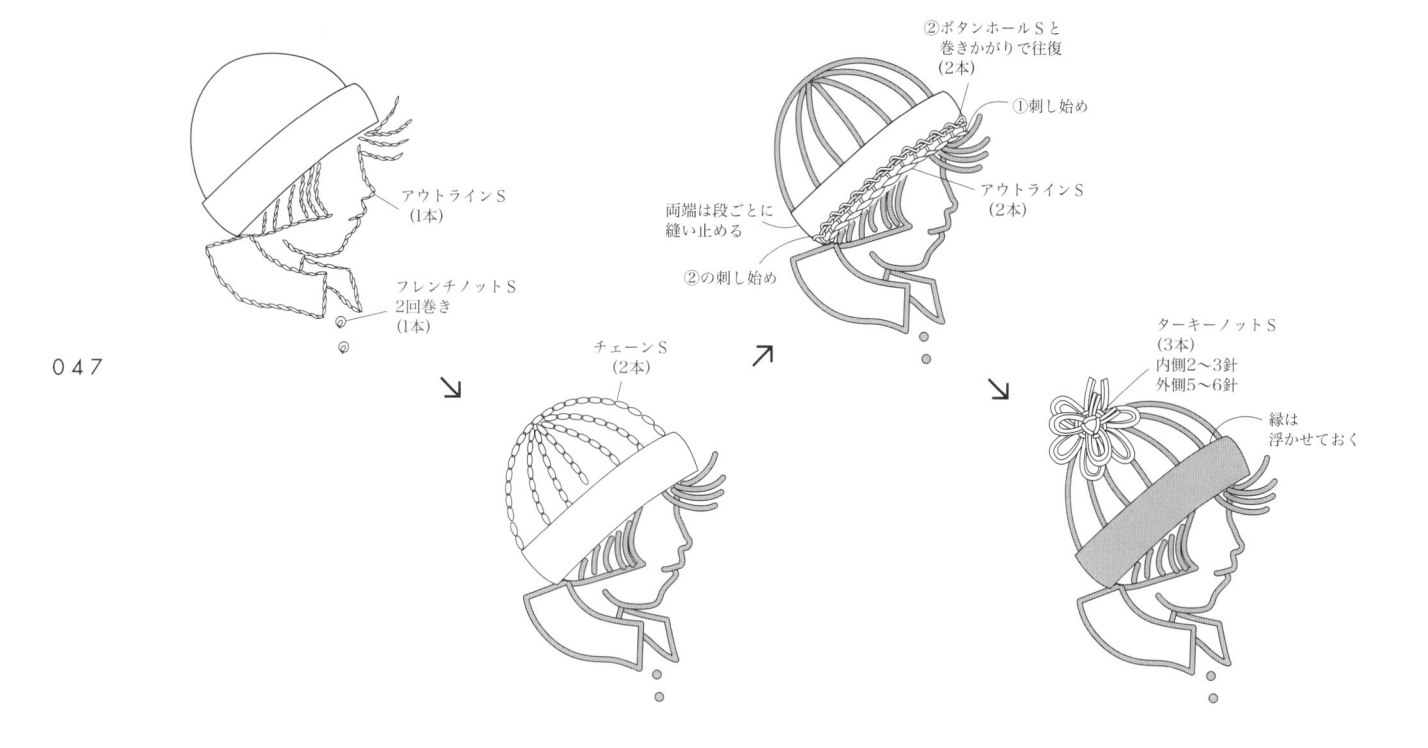

アウトラインS
(1本)

フレンチノットS
2回巻き
(1本)

チェーンS
(2本)

②ボタンホールSと
巻きかがりで往復
(2本)

①刺し始め

アウトラインS
(2本)

両端は段ごとに
縫い止める

②の刺し始め

ターキーノットS
(3本)
内側2～3針
外側5～6針

縁は
浮かせておく

048

にんじん

gulerod

にんじん

デンマークの人々は、にんじんが大好き。生のままのにんじんを、ポリポリとおいしそうにかじりながら自転車をこいでいる姿をよく見かけて、留学当初はとても驚いた。ランチボックスにはオープンサンドイッチと一緒に必ず入っているし、お茶の時間におやつとしても欠かせない一品。生のにんじんをかじれば、デンマーク人になったような気分になれた。

刺し方

- サテンSは太い部分から分けて刺すと形がとりやすい。

1 にんじんの輪郭よりやや内側をオレンジ（922・2本）でアウトラインS。次に太い部分から上下に分けて（922・1本）でサテン・S。
2 太い茎をグリーン（3011・1本）でサテンS。
3 細い茎を（3011・1本）でアウトライン・S。
4 葉を（3011・1本）でレゼーデージーS。

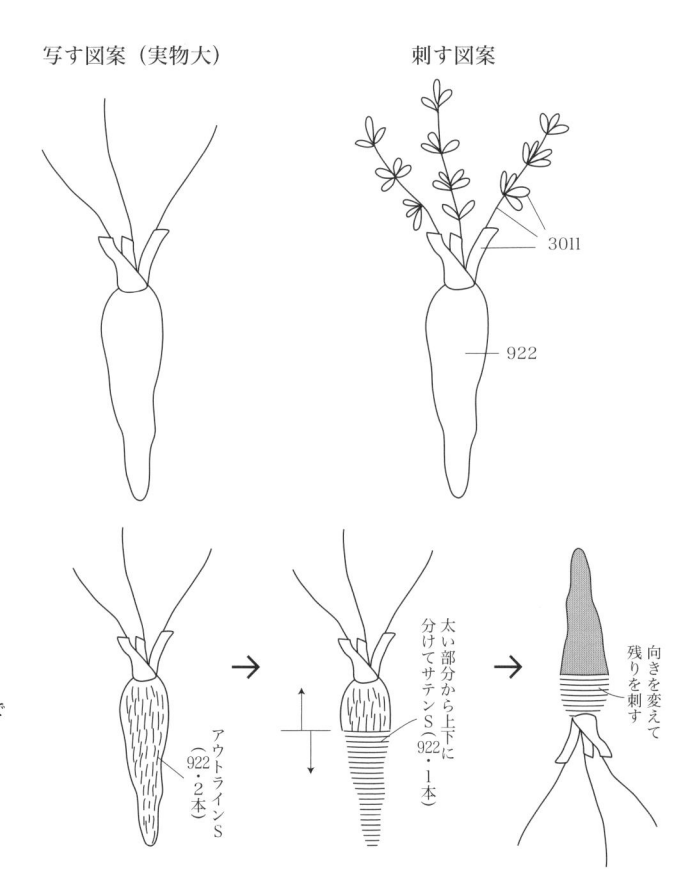

★ミニポーチ

製図

- 2.5
- 5
- 1
- ひも通し
- 刺しゅう
- 3
- 縫い止まり
- 17
- 袋布
- 底わ
- 13

布の裁ち方

- 1
- 4.5
- 布を裁って刺しゅうをする
- 刺しゅうをしてから角を裁ち落とす
- 2
- 袋布（表）
- 2
- 袋布（裏）
- 4.5

作り方

④折り山にフレンチノットS
2回巻き（922・3本）
- 2.5
- ⑥まつり縫い
- ⑤細かい針目で並縫い
- ひも通し口になる
- 1cm幅に三つ折りして、まつり縫い（両わき）
- 袋布（裏）
- ②端を1cm折る
- ③3.5cm折る
- アイロンで押さえる

→

- 縫い止まり
- 5
- 縫い止まりは3回ぐらい縫う
- ②コの字とじでわきをとじる（75ページ参照）
- ①底から折る

↓

- 左右から1本ずつ通す
- 刺しゅう糸で作ったコード長さ約32cm
- 2本一緒にひと結び

051

材料と作り方ポイント

布（麻、ブロードなど適宜）
……タテ43×ヨコ17cm
25番刺しゅう糸（922・3011）
……各1束

- 布を裁ってから刺しゅうをする。
- 刺しゅう糸で作るコードはスタート時6本どり。作り方は15ページ参照。

ちょうちょ sommerfugl 052

053　こがねむし bille

ちょうちょ

デンマーク語でちょうちょをsommerfugl(夏の鳥)と書く。北欧の暗くて長い冬が終わり、若葉の間から明るい光が射し込むようになると、Tシャツ姿で外に出て、ビールを飲んでいる人々の姿をよく目にする。まだ風はひんやりと冷たく肌寒いのに、サングラスをして楽しそうにおしゃべりをしている。まるで初夏の空をひらひらと舞うちょうちょのように、嬉しそうにはしゃいでいる。

写す図案（実物大）　　刺す図案　3021　ECRU　3021

054

刺し方

- 羽部分の境界線とロング＆ショートSは写真を参照して、糸と糸の間に針を刺し入れるようにする。紋は羽を刺し埋めた上に重ねて刺す。
- すべて1本どりで刺す。

1　羽の先を焦げ茶(3021)でサテンS。
2　羽部分をアイボリー(ECRU)でロング＆ショートS。
3　体を(3021)でバリオンS。
4　触角を(3021)でストレートS、紋を同じ色でストレートSを2回。

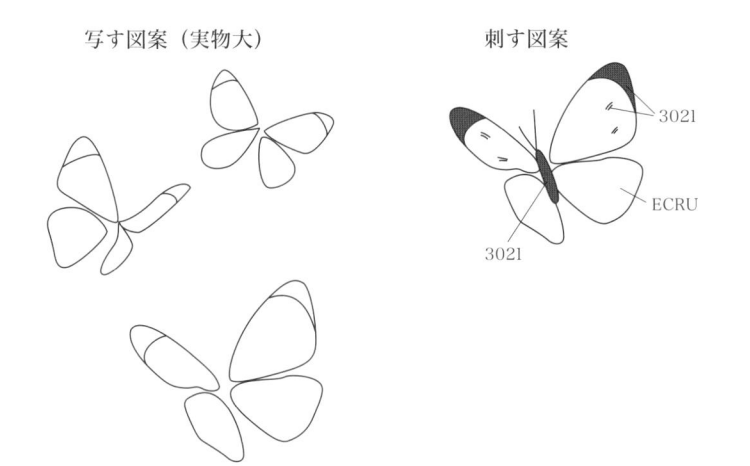

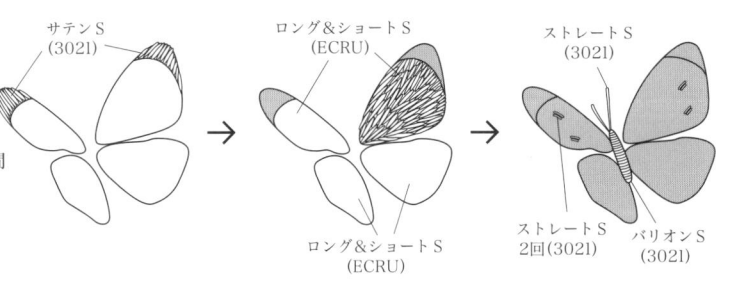

サテンS (3021) → ロング＆ショートS (ECRU) / ロング＆ショートS (ECRU) → ストレートS (3021) / ストレートS 2回(3021) / バリオンS (3021)

こがねむし

手工芸学校の刺しゅうの授業では、今まで見たことのないものばかりだった。デンマーク人の色の組み合わせや図案の選び方はとても意外で新鮮さを感じた。ある人が、ストールにこがねむしを刺していた。なんともいえない美しい色彩にハッとした。彼女たちの作品から、自然をありのままの姿で愛し、それを生活の中にうまく取り入れて暮らしていることが伝わってきた。

写す図案（実物大）

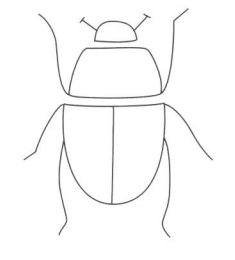

刺し方

- 体の中央はアウトラインSが見えるように少しあけておく。
- すべてブルーグレー（794）で刺す。

1 頭部を1本どりでサテンS。まず横方向に、次に縦方向に重ねて刺す。
2 胸部を芯入りサテンS。まず2本どりで横方向にアウトラインS、次に1本どりで縦にサテンS。
3 胴体を芯入りサテンS。まず2本どりで縦方向にアウトラインS、次に中央を少しあけて1本どりで縦にサテンS。
4 足を1本どりでアウトラインS。
5 触覚を1本どりでストレートS。

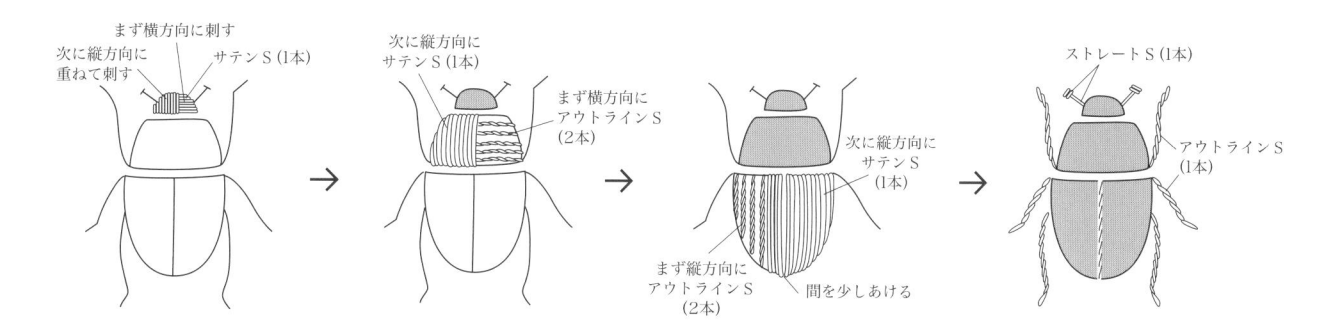

056

057

はち

bi

はち

デンマークのパンはとてもおいしい。飾り気はないが、サクサクと香ばしい。そして、パンに合うバターやチーズもおいしい。いろいろな種類のベリージャムも。でも、一番のお気に入りは、はちみつ。濃厚なのに、甘さはひかえめ、朝食には欠かせない。風邪を引いて喉を痛めたときに、刺しゅうの先生がホットミルクにはちみつを入れてくれた。とてもやさしい味がした。

写す図案（実物大）

刺し方

- 羽はレゼーデージーSを応用し、2か所を止めて形づくる。

1 頭部を焦げ茶(3021・1本)でサテンS。まず横方向に、次に縦方向に重ねて刺す。
2 体の輪郭線と中を(3021・2本)でバックS。
3 体のしま模様を、上から黄(3822・1本)と(3021・1本)を交互に、いちばん下をアイボリー(ECRU・1本)でサテンS。
4 足、触角を(3021・1本)でストレートS。
5 羽を(ECRU・2本)でレゼーデージーSし、もう1か所止める。

サテンS
(3021・1本)

次に縦方向に
重ねて刺す

まず横方向に
刺す

バックS (3021・2本)

サテンS
(3822・1本)

サテンS
(3021・1本)

サテンS (ECRU・1本)

ストレートS (3021・1本)

レゼーデージーS
(ECRU・2本)

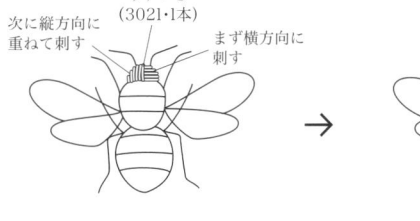

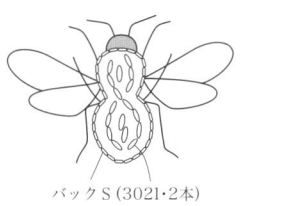

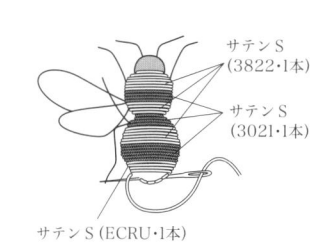

2か所を
止める

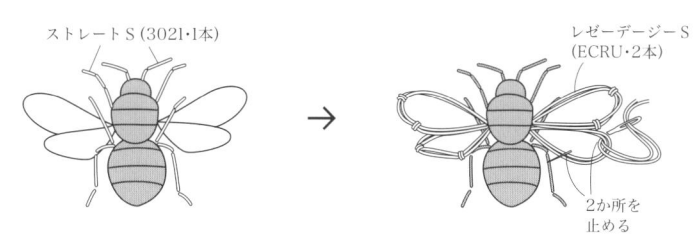

060

いぬ hund

061

いぬ

幼い頃の将来の夢は、「大きくなったらお嫁さんになりたい」ではなく、「いぬをたくさん飼いたい」だった。ベッドの横に大きなポスターを貼って、50種類以上の犬種名を覚えていた。男の子だったら恐竜や昆虫の名前を覚えるのだろうが、いぬ好きの私には、それがとても楽しかった。北欧に行くと街や公園で散歩しているいぬをよく見かける。どのいぬたちもしっかり躾がされていて、いつも感心させられた。

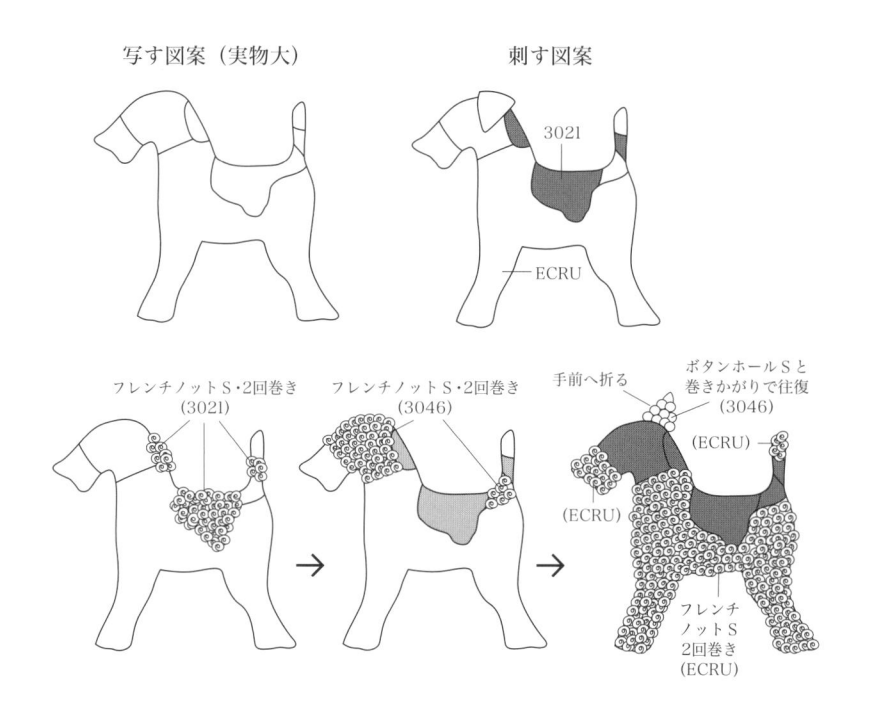

写す図案（実物大）　　刺す図案

3021

ECRU

フレンチノットS・2回巻き（3021）　　フレンチノットS・2回巻き（3046）　　手前へ折る　　ボタンホールSと巻きかがりで往復（3046）

（ECRU）

（ECRU）

フレンチノットS 2回巻き（ECRU）

刺し方

- フレンチノットSは、糸を引きすぎないように注意し、ふんわりと仕上げる。
- すべて2本どりで刺す。

1　首の後ろと背中・尾を焦げ茶（3021）でフレンチノットS（2回巻き）。
2　頭部と尾のつけ根をキャメル（3046）でフレンチノットS（2回巻き）。
3　残りの部分をアイボリー（ECRU）でフレンチノットS（2回巻き）。
4　耳を（3046）でボタンホールSと巻きかがりで三角形にかがる（123ページ参照）。

写す図案（実物大）

刺し方
- フレンチノットSは、糸を引きすぎないように注意し、ふんわりと仕上げる。
- すべてグレー(414)で2本どり。

1　顔と体の輪郭線をバックS。
2　毛をフレンチノットS（2回巻き）。
3　足をストレートS。

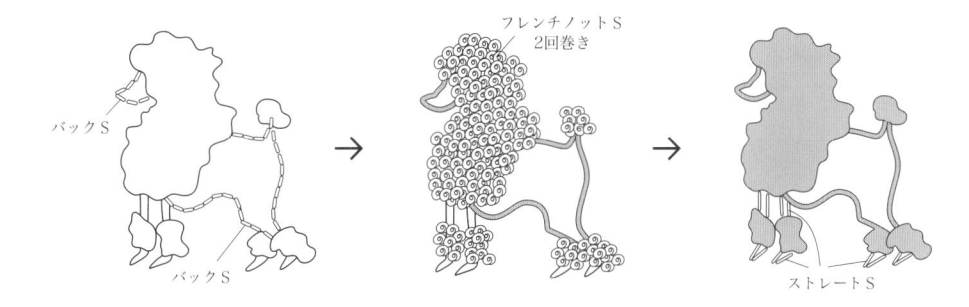

064

065

じてんしゃ

cykel

じてんしゃ

デンマークは自転車の国。自転車専用道路を車並みの速さで走る光景はとても格好いい。憧れていた自転車通勤を私も3年間経験した。街中のアパートを出て、目の前に広がるフィヨルドを眺めながら森の中に入って行き、でこぼこ道を走った。そして、ななかまどの並木を通り抜け、小さな古い民家のあるコーナーを曲がる。そこには2頭の馬がいて、いつも仲良く私にあいさつしてくれた。再び森を抜けると仕事場に到着。寒くて風の強い日はつらかったが、20分ほどの楽しい道のりだった。

写す図案（実物大）

刺す図案

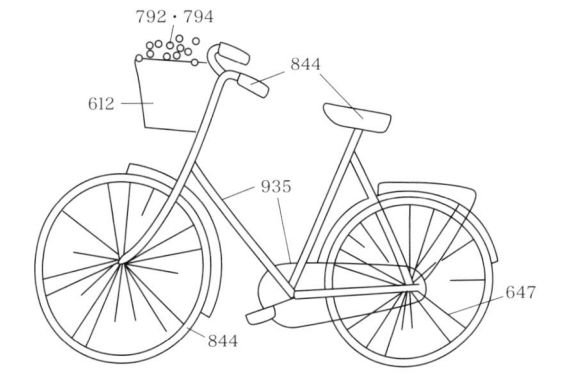

792・794
844
612
935
647
844

刺し方
1 アウトラインS部分をダークグリーン(935・1本)で刺す。太い部分はダブル(2列)に刺す。
2 サテンS部分をダークグレー(844・2本)で刺す。
3 ストレートS部分をライトグレー(647・1本)で刺す。
4 かご部分をベージュ(612)でコーチングS。3本どりを1本で止める。
5 花をブルー(792・2本)とブルーグレー(794・2本)でフレンチノットS(2回巻き)。

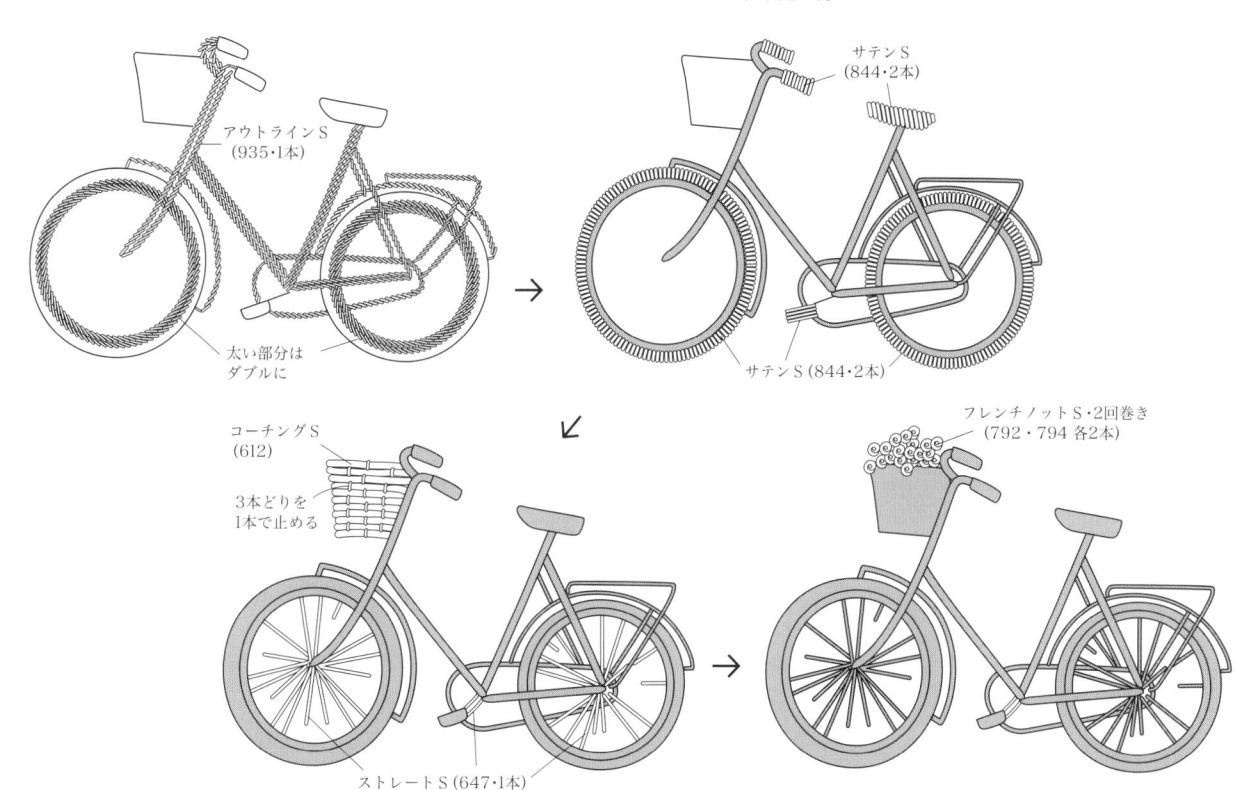

アウトラインS (935・1本)
太い部分はダブルに

サテンS (844・2本)
サテンS (844・2本)

コーチングS (612)
3本どりを1本で止める
ストレートS (647・1本)

フレンチノットS・2回巻き (792・794 各2本)

068

きつね

r æ v

069

きつね

自転車で仕事場に向かう途中の森では、いろいろな動物に出会った。あまりにも美しい鳥たちの歌声に自転車を止めることもたびたび。ある日、黄金色の太い大きなしっぽがふと視界に入ってきた。慌てて足を止めると、いぬのような動物の後ろ姿が見えた。仕事場に着いて、同僚のデンマーク人に尋ねると「あの森にはきつねもいるんだよ」という。顔を見ることができなかったのが、とても残念だった。

写す図案（実物大）

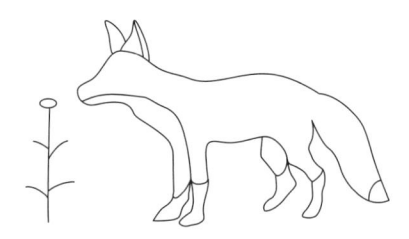

刺す図案

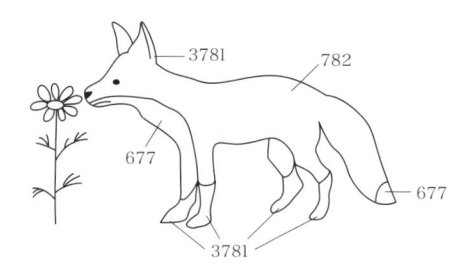

3781　782　677　3781　677

刺し方

- ロング＆ショートSは写真を参照しながら、毛並みの方向に注意して刺す。
- 色の境界線は、糸と糸の間に針を刺し入れるようにぼかす。
- すべて1本どりで刺す。

1　耳の後ろを焦げ茶(3781)でアウトラインS。同じ糸で足先をロング＆ショートS。
2　右耳の中・顔・体全体を鼻先からしっぽに向かってキャメル(782)でロング＆ショートS。
3　左耳の中としっぽの先端をクリームイエロー(677)でサテンS、同じ糸であごと足をロング＆ショートS。
4　目を濃焦げ茶(3371)でフレンチノットS(2回巻き)、同じ糸で鼻と口をストレートS。
5　花の中心を(782)でサテンS、花びらをアイボリー(ECRU)でレゼーデージーS、茎をグリーン(3011)
　　でアウトラインS、葉を(3011)でストレートS。

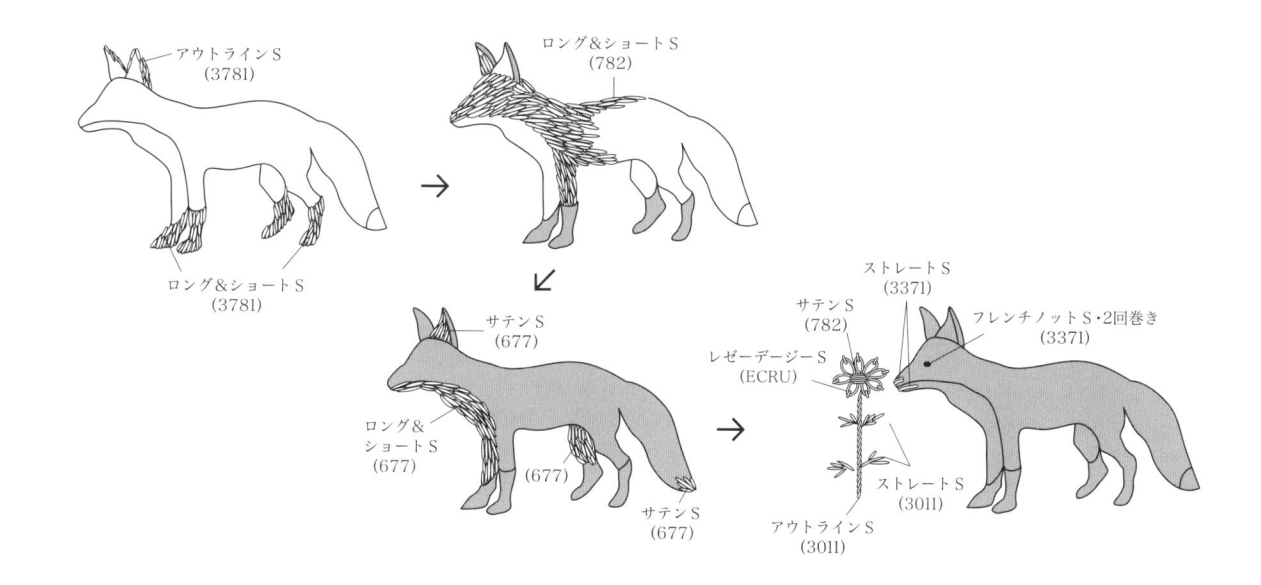

072

073

てんとうむし

mariehøne

てんとうむし

小学生のとき、ファーブルの『昆虫記』の影響を受けたのか、「動物日記」をつけたことがあった。巣から砂を運び出しているアリたちのこと、昆虫採集の標本にされたかわいそうな昆虫たちのことなどを書いた。すぐに飽きて、1週間ほどで終わってしまったこの日記に多く登場したのはアリ、てんとうむし、そしてだんごむしだった。彼らの行動や体を観察するのがとても楽しかったことを思い出す。

写す図案（実物大）　　刺す図案　816　838

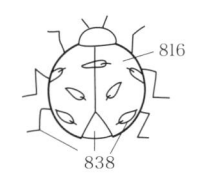

刺し方

- 羽の七星は表面だけをすくって、レゼーデージーSで刺す。

1. 頭部を焦げ茶(838・1本)でサテンS。
2. 体の輪郭線を(838・2本)でアウトラインSで刺し、内側を(838・2本)でボタンホールSで減らし目(針目をとばしてすくう)をしながらかがり、穴が小さくなったら綿を詰めてとじる(39ページ参照)。
3. 羽の外側の線(体の輪郭線の際)を赤(816・2本)でアウトラインSで刺し、ボタンホールSと巻きかがりで往復する(86ページ参照)。
4. 足と触角を(838・1本)でストレートS、七星を同じ糸でレゼーデージーS。

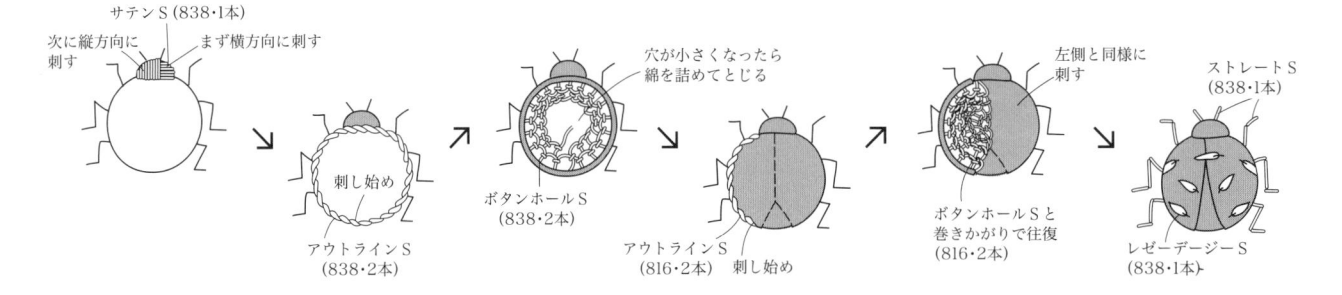

サテンS(838・1本)　次に縦方向に刺す　まず横方向に刺す

刺し始め　アウトラインS(838・2本)

穴が小さくなったら綿を詰めてとじる　ボタンホールS(838・2本)　アウトラインS(816・2本)　刺し始め

左側と同様に刺す　ボタンホールSと巻きかがりで往復(816・2本)

ストレートS(838・1本)　レゼーデージーS(838・1本)

★カードケース

製図・裁ち方

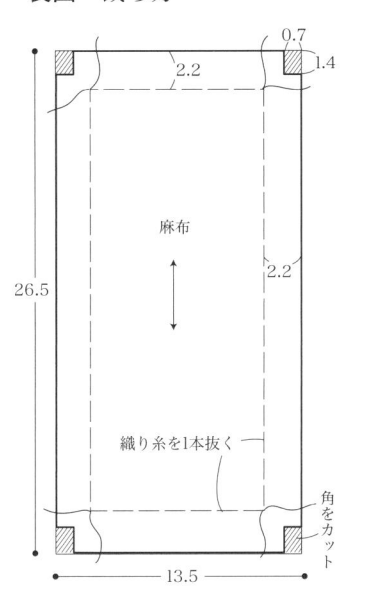

- 0.7
- 1.4
- 2.2
- 2.2
- 麻布
- 26.5
- 13.5
- 織り糸を1本抜く
- 角をカット

作り方

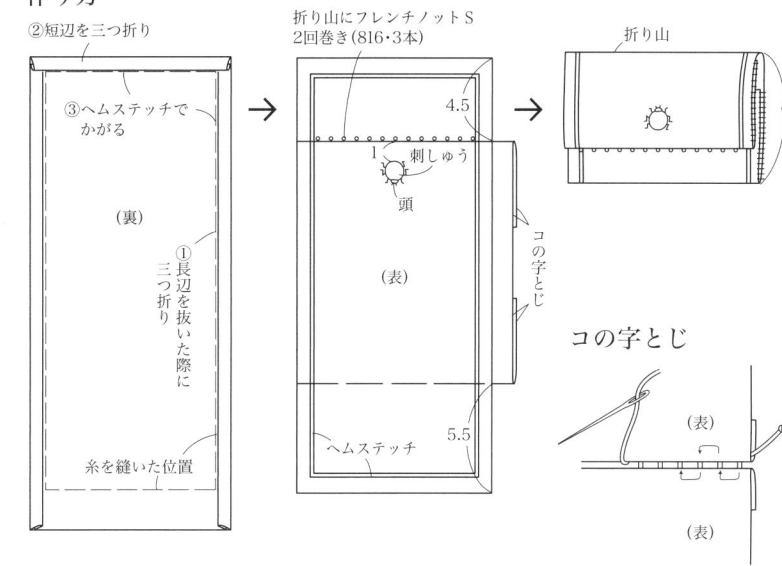

②短辺を三つ折り
③ヘムステッチでかがる
(裏)
①長辺を抜いた際に三つ折り
糸を縫いた位置

折り山にフレンチノットS
2回巻き(816・3本)
4.5
刺しゅう
頭
(表)
コの字とじ
ヘムステッチ
5.5

折り山
7

コの字とじ

(表)
(表)

ヘムステッチのかがり方

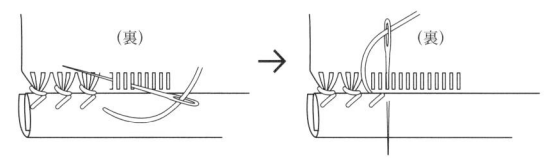

(裏) → (裏)

材料と作り方ポイント

- 麻布(12目／1cm)……タテ26.5×ヨコ13.5cm
- 布地と同色の25番刺しゅう糸または手縫い糸1本どり
- 布目を通して布を裁ち、各辺の中心から角に向かって織り糸を1本抜き、ヘムステッチでかがる。

076

スニーカー

kondisko

スニーカー

旅行には歩きやすい靴を、と新しいスニーカーを買った。不慣れな土地では、バスやタクシーに乗るより、歩くことが多くなるからだ。北欧では道端で地図を見ていると、すぐに声をかけてくれる。歩いていると、乗り物に乗ってしまったら気づくことのない風景や人々の温かさを感じる。1か月の旅を終えて帰国する頃になると、新しかったスニーカーに汚れとともにさまざまな思い出がしみこんでいた。

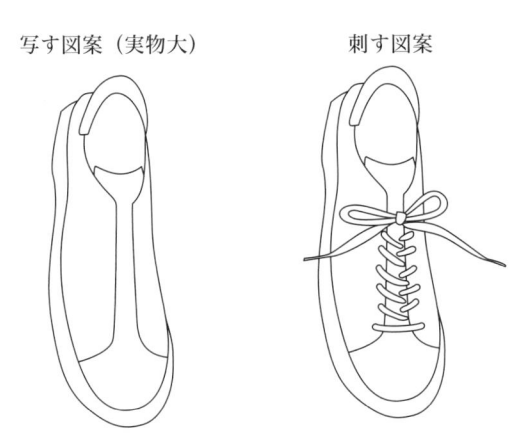

写す図案（実物大）　　刺す図案

刺し方

- ひもは仕上げアイロンをかけた後に刺す。
- すべてアイボリー（ECRU）で刺す。

1　輪郭線を(1本)でアウトラインS。
2　後ろ足首部分を1と同じ糸でサテンS。
3　ソールを(2本)でアウトラインS。
4　ひもを(6本)で下から上へストレートSで刺し、
　　蝶結びをしてひも先をボンドで固める。

079

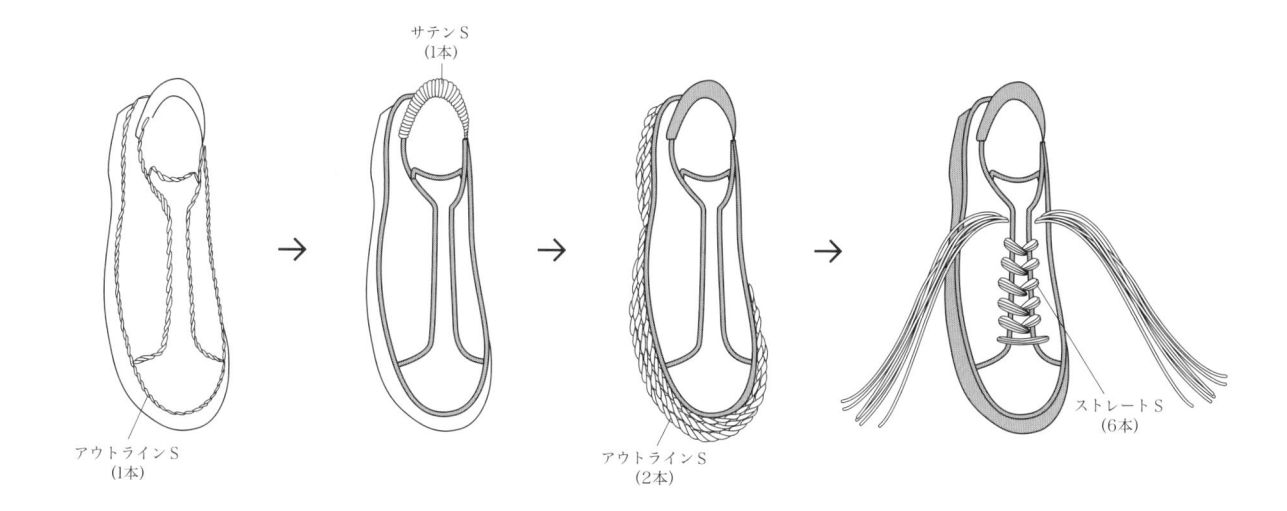

アウトラインS
(1本)

サテンS
(1本)

アウトラインS
(2本)

ストレートS
(6本)

080

こうのとり

stork

081

こうのとり

手工芸学校の先生たちと一緒に古都Ribe(リーベ)へ出かけた。ここは14世紀〜17世紀の建物が多く残され、デンマークで最も美しい町並みといわれている。町のシンボルである大聖堂が、その美しさをいっそう際立てている。リーベはこうのとりが訪れることでも有名な町。煙突の上の巣を見上げると、それは絵本の1ページのような牧歌的な光景だった。

刺し方

- 翼の先の色の境界線は、糸と糸の間に針を刺し入れてぼかす。
- ロング＆ショートSは、写真を参照しながら体のラインに沿うように刺す。
- 袋はスタンプワークで立体的に。

1 くちばしをオレンジ(921・1本)でサテンS。
2 翼の先端をグレー(535・1本)でロング＆ショートS。
3 体、翼をアイボリー(ECRU・1本)でロング＆ショートS。
4 足を(921・1本)でアウトラインS、同じ糸で足先をストレートS。
5 目を黒(310・1本)でフレンチノットS(1回巻き)。
6 袋の輪郭線(刺す図案の太線部分)を白(BLANC・2本)でアウトラインSをし、その針目をすくって「ボタンホールSをして巻きかがりで戻る」の「 」内を繰り返し(86ページ参照)、綿を詰めてとじる。結び目を同じ糸でレゼーデージーS。

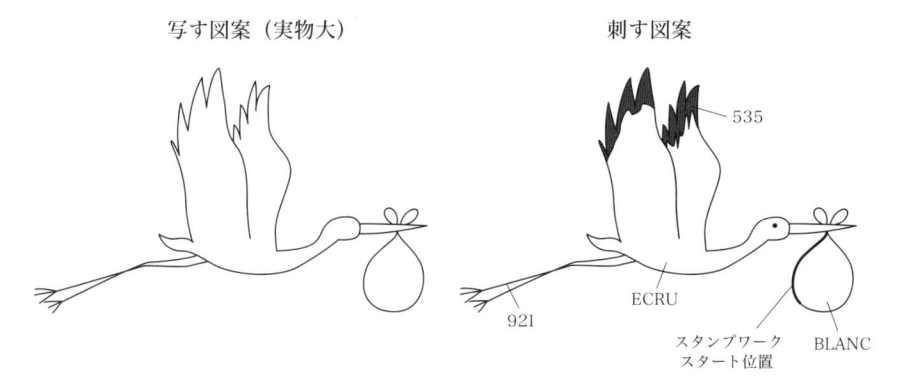

写す図案(実物大)   刺す図案

535
ECRU
921
スタンプワーク
スタート位置
BLANC

083

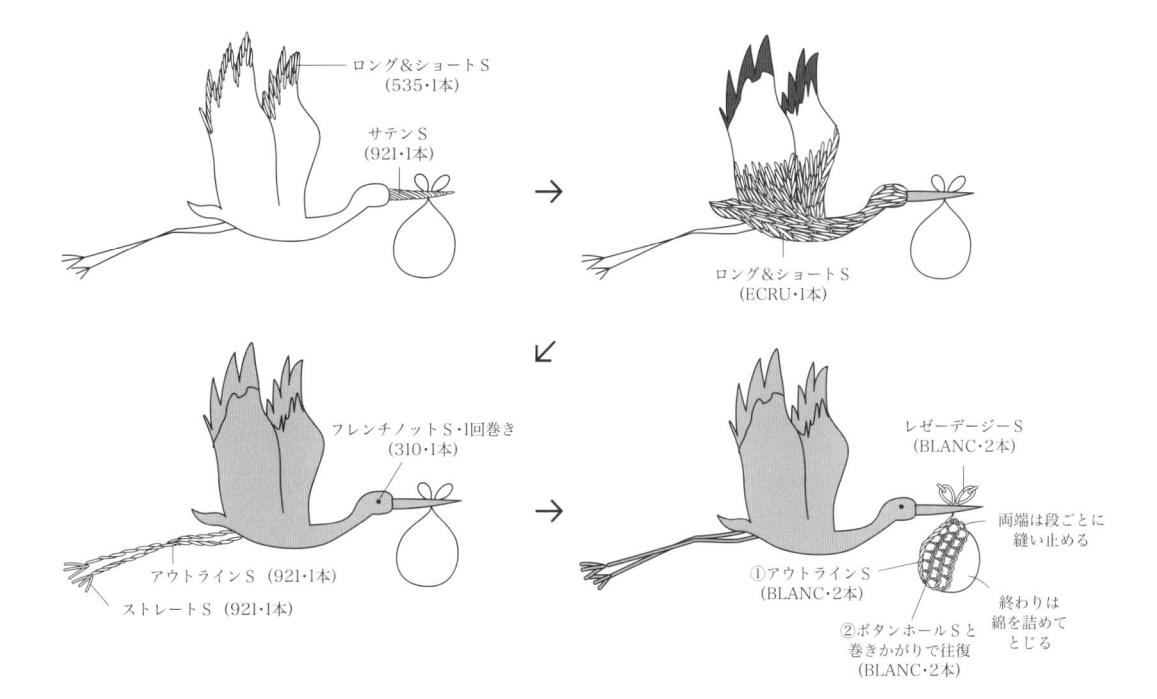

ロング&ショートS
(535・1本)

サテンS
(921・1本)

ロング&ショートS
(ECRU・1本)

フレンチノットS・1回巻き
(310・1本)

アウトラインS（921・1本）

ストレートS（921・1本）

レゼーデージーS
(BLANC・2本)

①アウトラインS
(BLANC・2本)

②ボタンホールSと
巻きかがりで往復
(BLANC・2本)

両端は段ごとに
縫い止める

終わりは
綿を詰めて
とじる

084

さかな

fisk

085

さかな

デンマーク独特のオープンサンドイッチは、薄くスライスしたライ麦パンにバターをたっぷりとぬり、その上にスモークサーモンや酢漬けのニシン、そして小エビなどをのせて頂く。大きなヒラメのフライやムニエルも代表的な北欧のさかな料理。新鮮な北欧の海の幸は、ワインやビールとよく合う。でも、やはり白いご飯とサンマやアジなどの焼き魚がとても恋しかった。

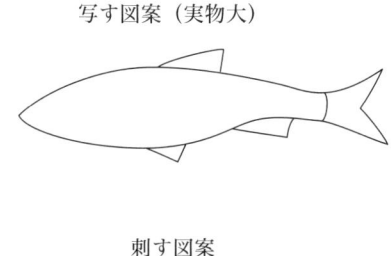

写す図案（実物大）

刺す図案

スタンプワークの基礎

アウトラインＳでスタートし、アウトラインＳの針目をすくいながらボタンホールＳをし、巻きかがりで戻る。図案に沿ってボタンホールＳと巻きかがりで往復し（布から浮いている）、綿を詰めてとじる。

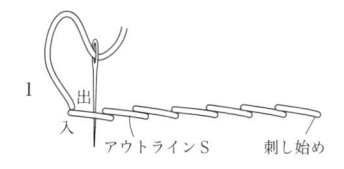

1　出／入／アウトラインＳ／刺し始め

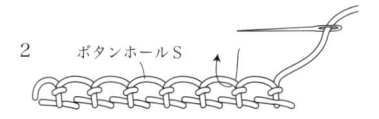

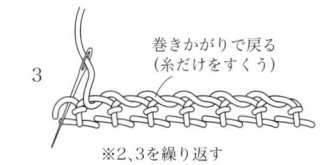

2　ボタンホールＳ

3　巻きかがりで戻る（糸だけをすくう）

※2、3を繰り返す

刺し方

- 濃い色と薄い色を1本ずつ合わせて使うと細かい色のグラデーションが出る。
- 糸かえ・色かえは両端でする。

1　背の部分をブルー（336・2本）でアウトラインＳをしてスタートし、ブルーグレー（931、597）、ライトグレー（928）で順次色をかえながら2本どりでスタンプワークで体をかがり、綿を詰めてとじる。
2　目を黒（310・2本）でフレンチノットＳ（2回巻き）、外側をアイボリー（ECRU・1本）でぐるっと引っ掛ける。口はレーヨン糸のブルーグレー（30932・1本）でストレートＳ、えら・しっぽ・ひれは同じ糸で図のように刺す。
3　斑点を（336・1本）でストレートＳ。

087

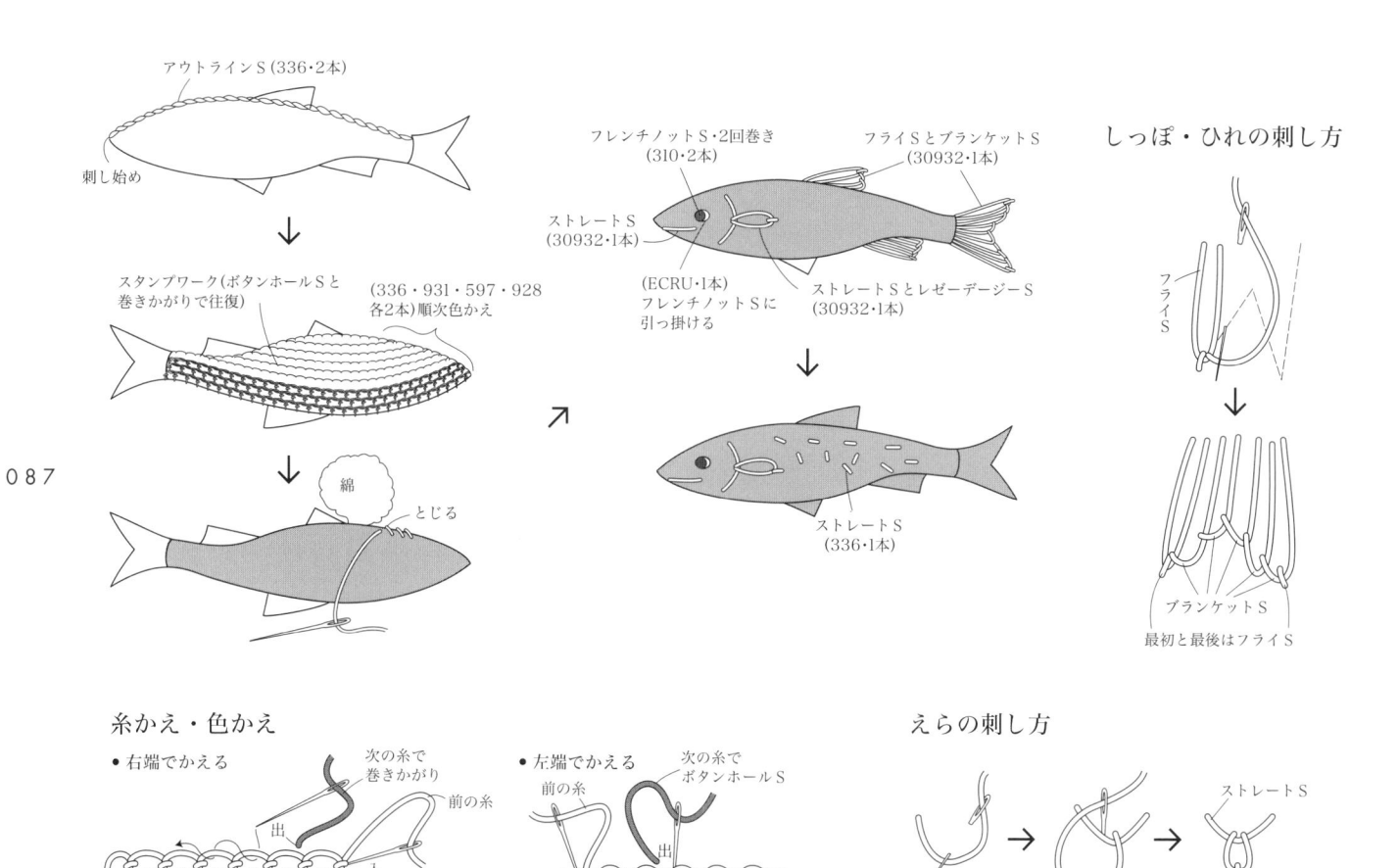

アウトラインS（336・2本）

刺し始め

スタンプワーク（ボタンホールSと巻きかがりで往復）

（336・931・597・928 各2本）順次色かえ

綿

とじる

フレンチノットS・2回巻き（310・2本）

フライSとブランケットS（30932・1本）

ストレートS（30932・1本）

（ECRU・1本）フレンチノットSに引っ掛ける

ストレートSとレザーデージーS（30932・1本）

ストレートS（336・1本）

しっぽ・ひれの刺し方

フライS

ブランケットS

最初と最後はフライS

糸かえ・色かえ

• 右端でかえる

次の糸で巻きかがり

前の糸

出

※出る位置は図案に合わせて適宜に

• 左端でかえる

次の糸でボタンホールS

前の糸

入　出

えらの刺し方

ストレートS

レザーデージーS

088

ペンギン

pingvin

089

ペンギン

幼い頃から動物が大好きで、動物園や水族館に出かけるのはとても嬉しかった。その両方にいるのがペンギン。動物園ではじっと立っていたり、よちよち歩く姿が愛らしい。水族館では、陸上での動きからは想像できないくらいの速さで、水中を泳ぐペンギンの姿を見ることができる。小さなつばさを羽ばたかせて泳いでいる様子は、水中を飛んでいるかのよう。やはりペンギンは鳥だった。

写す図案（実物大）　　刺す図案

刺し方

- ロング＆ショートSは、写真を参照しながら体のラインに沿うように刺す。首部分の黄と白の境界線は糸と糸の間に針を刺し入れるようにしてぼかす。
- すべて1本どりで刺す。

1　くちばしをオレンジ(921)でサテンS、首部分を黄(744)でロング＆ショートS。
2　体をネイビー(823)でロング＆ショートS。
3　おなかをアイボリー(ECRU)でロング＆ショートS。
4　手のラインを(ECRU)でアウトラインS。
5　足を(921)でストレートSを2回。

091

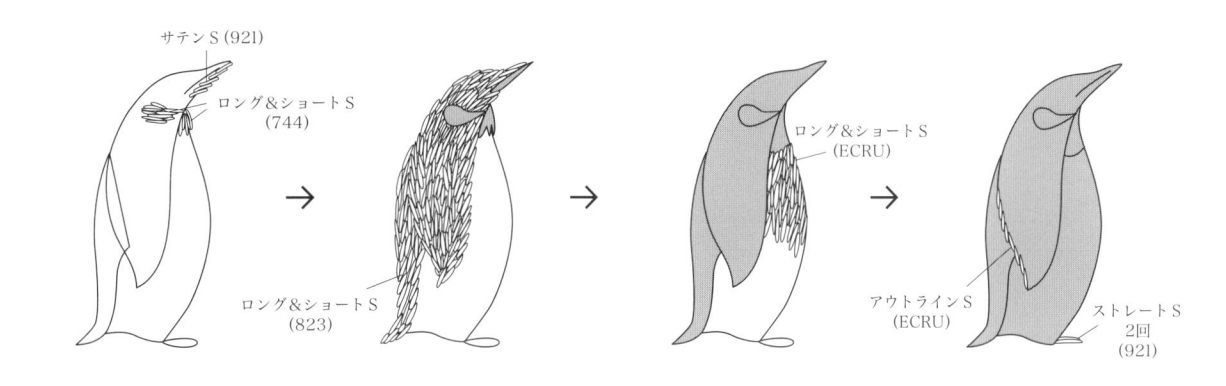

サテンS (921)

ロング＆ショートS
(744)

ロング＆ショートS
(823)

ロング＆ショートS
(ECRU)

アウトラインS
(ECRU)

ストレートS
2回
(921)

092

093

ねこ kat

ねこ

大好きだった愛犬のジャッキーは、子いぬの頃、散歩中に突然ねこに襲われ片目を失明した。手術が済んで、眼帯代わりにボタンをまぶたに縫い付けられた姿が痛々しくて、それ以来、私はねこを嫌うようになってしまった。きっとねこにもいぬを襲う理由があったのだろうと思えるようになった今、ねこにも愛おしさを感じるようになった。近所にいるねこは、「タマちゃん」と呼ぶと「ニャー」と返事をして体をすり寄せてくる。とてもかわいい。

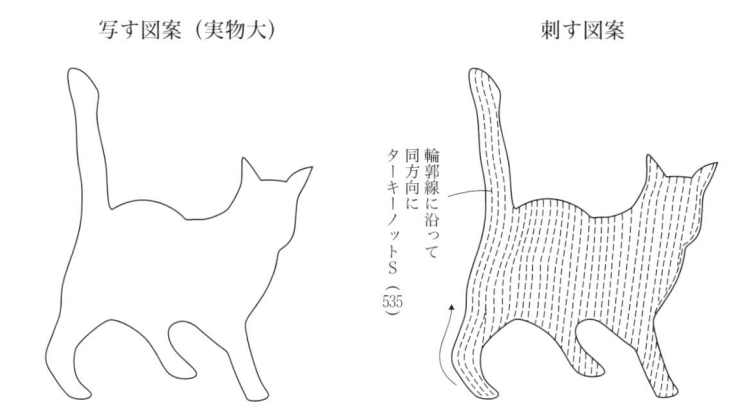

写す図案（実物大）　　　刺す図案

輪郭線に沿って同方向にターキーノットS（535）

刺し方

- すべてターキーノットSで刺す。
- ターキーノットSのループは様子を見ながら少しずつ切りそろえ、最後に指先でこすってパイル状にする。

1　輪郭線に沿ってグレー（535・3本）でターキーノットS。
2　最初は5mmぐらいにカットし、手でほぐしてパイル状にする。
3　形を整えながら最終的に3mmぐらいに切りそろえる。

写す図案（実物大）　　刺す図案

ECRU

535

3046

(535)

(3046)

(ECRU・3本)

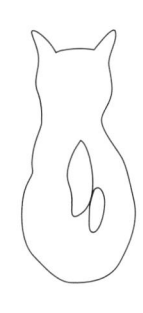

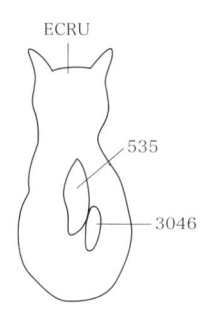

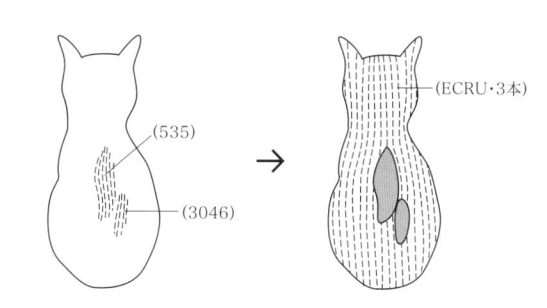

095

- すべてターキーノットSで刺す。
- 94ページ参照。

1　背中の模様をグレー(535・3本)、クリーム(3046・3本)でターキーノットS。
2　残りの部分をアイボリー(ECRU・3本)でターキーノットS。

ターキーノットSの刺し方

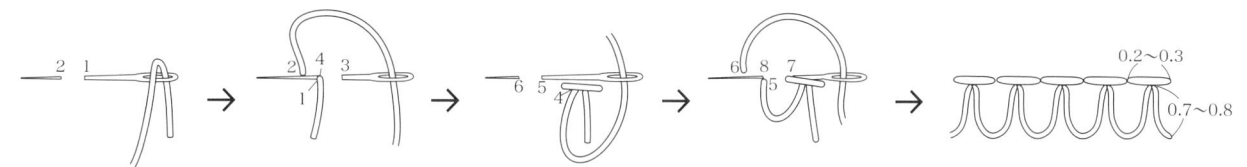

0.2～0.3

0.7～0.8

096

097

ハンバーガー

hamburger

ハンバーガー

スウェーデンで初めて食べたハンバーガー。北欧人は、体が大きいから？と思うほどのビッグサイズ。いったいこれをどうやって食べるのだろうと驚いていると、一緒にいた友人がお手本を見せてくれた。ハンバーガーをナイフとフォークで食べるなんて、とても上品な感じがしたが、これがなかなか難しかった。

写す図案（実物大）　　刺す図案

782
729
3819
801
677
817
782
729

刺し方

- スタンプワークの糸かえや色かえは両端でする（86、87ページ参照）。
- バンズ部分は濃い色と薄い色を1本ずつ合わせて使うと、細かい色のグラデーションが出る。

1　トマト部分を赤（817・1本）でサテンS。
2　パテ部分を茶（801・1本）でアウトラインS。
3　上のバンズの下端をキャメル（782・729）でアウトラインSで刺し、アウトラインSの針目をすくって「ボタンホールSをして巻きかがりで戻る」の「　」内を繰り返す（86ページ参照）。糸は同色を2本にしたり、異なる色を1本ずつ合わせて色合いを調整する。
4　下のバンズも同様に刺す。
5　レタス部分をライトグリーン（3819・2本）でスタンプワーク。

099

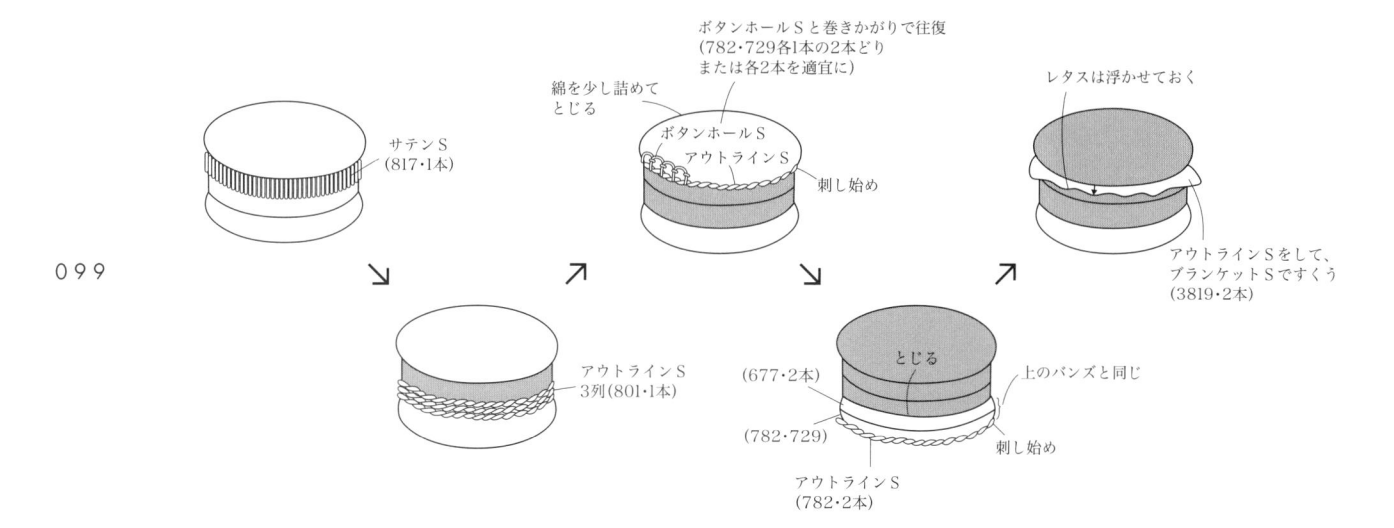

サテンS
(817・1本)

アウトラインS
3列(801・1本)

ボタンホールSと巻きかがりで往復
(782・729各1本の2本どり
または各2本を適宜に)

綿を少し詰めて
とじる

ボタンホールS
アウトラインS
刺し始め

(677・2本)
とじる
(782・729)
アウトラインS
(782・2本)
上のバンズと同じ
刺し始め

レタスは浮かせておく

アウトラインSをして、
ブランケットSですくう
(3819・2本)

100

ロバ

æsel

ロバ

お話に出てくるロバが、いつも年老いていて頑固なのはなぜだろう。幼い頃、手のひらサイズの小さな絵本が大好きだったが、その中に、「へんなロバ」というお話があった。そのロバは主人の言うことをまったく聞かず、とても頑固だった。たしか、ブレーメンの音楽隊に登場するロバも年老いて役立たずというやっかいものだったはず。あんなに優しいまなざしをしていて、きっと誰もが友達になりたいと思うのに、なぜだろう。

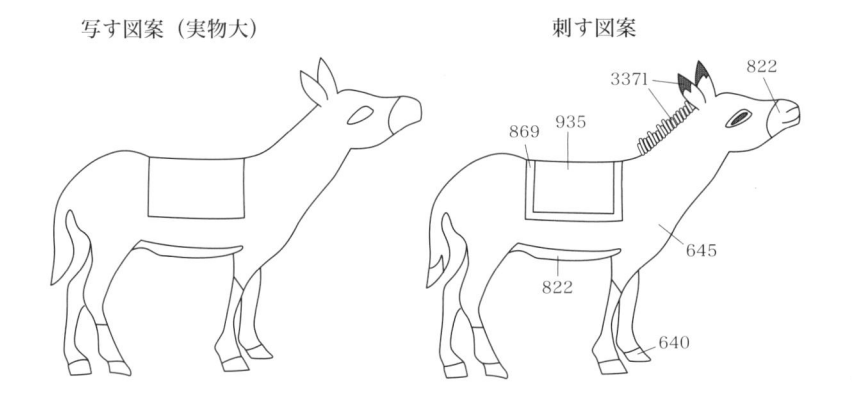

写す図案（実物大）　　　　刺す図案

刺し方

- ロング＆ショートSは、写真を参照しながら毛並みの方向に注意して刺し、色の境界線は糸と糸の間に針を刺し入れるようにする。
- すべて1本どりで刺す。

1　鼻先、足、おなかをベージュ(822)でロング＆ショートS。同じ糸で耳の中、目の回りをストレートS。
2　体をグレー(645)でロング＆ショートS。ひづめ部分をグレー(640)でサテンS。
3　耳先、たてがみ、しっぽを焦げ茶(3371)でサテンS。同じ糸で鼻、口をストレートS。同じ糸で目をバリオンS。
4　マットの縁を茶(869)でアウトラインS（ダブル）。マットの中央をダークグリーン(935)でサテンS。

103

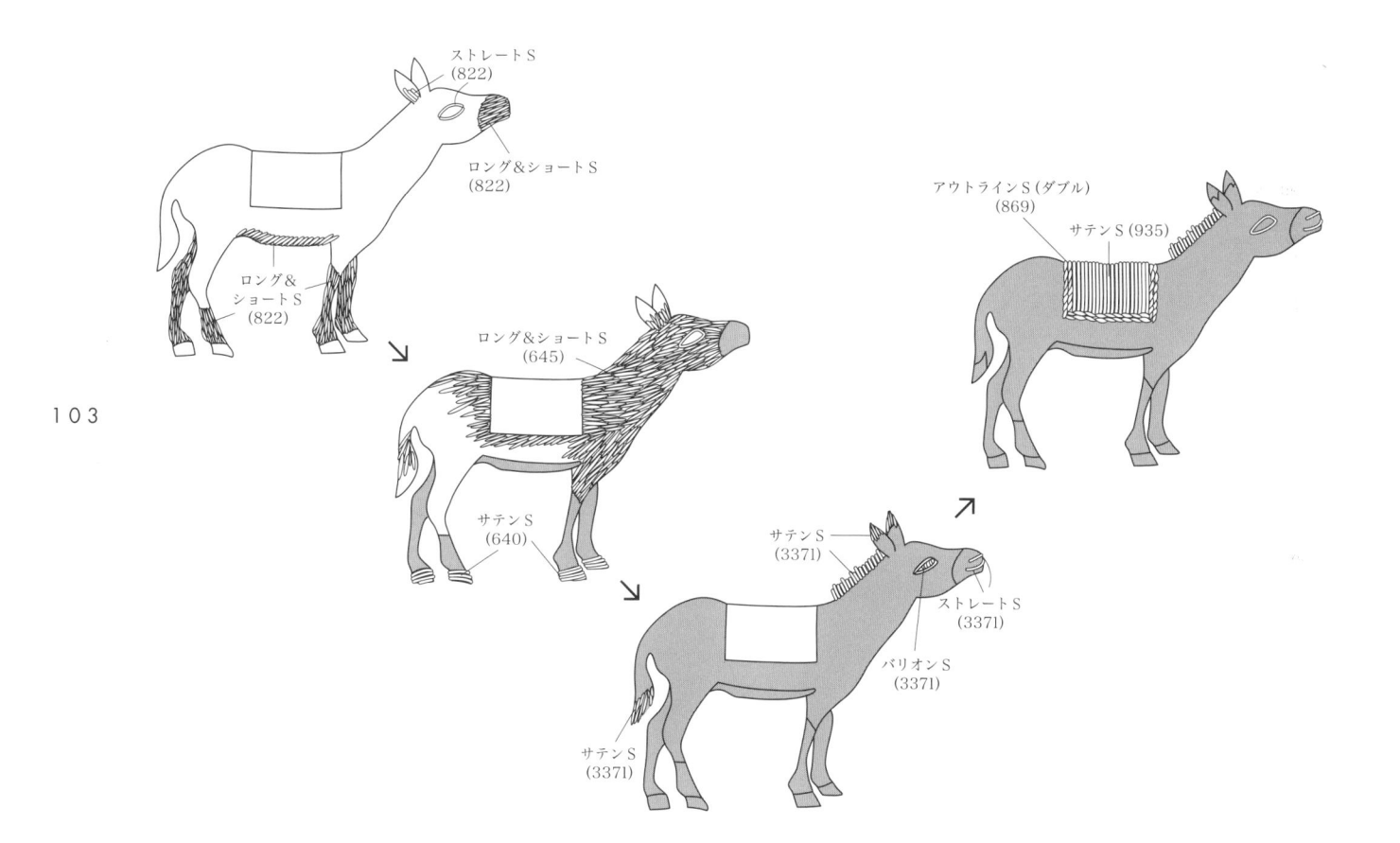

ストレートS
(822)

ロング＆ショートS
(822)

ロング＆ショートS
(822)

ロング＆ショートS
(645)

サテンS
(640)

サテンS
(3371)

サテンS
(3371)

ストレートS
(3371)

バリオンS
(3371)

アウトラインS（ダブル）
(869)

サテンS (935)

104

つばめ

svale

105

つばめ

草むらに落ちていたつばめのヒナを拾って育てたことがある。小箱に入れて学校に持って行き、授業の合間に生きている虫を与えた。大きく育って家のベランダから飛び去っていく姿を見送ったときは、少し寂しかったが、とても温かな気持になった。オスカー・ワイルドの『幸福な王子』やアンデルセンの『おやゆび姫』に出てくるつばめのように、ずっと昔から「幸せを運ぶ鳥」なのかもしれない。

写す図案（実物大）

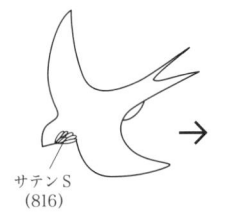

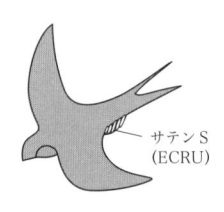

サテンS（816）　→　ロング＆ショートS（823）　→　サテンS（ECRU）

刺し方

- ロング＆ショートSは、写真を参照しながら体の線に沿うように刺す。
- すべて1本どりで刺す。

1　胸の部分を赤（816）でサテンS。
2　体をネイビー（823）でロング＆ショートS。
3　おなかをアイボリー（ECRU）でサテンS。

ファスナーつきポーチの材料

麻布（表袋布・無地）……タテ12.5×ヨコ18cm　2枚
麻布（別布・ストライプ）……タテ8×ヨコ18cm　1枚
ブロード（裏袋布・無地）……タテ24×ヨコ17.5cm　1枚
接着芯（厚さ1mmぐらい）……タテ23×ヨコ16cm　1枚
ファスナー……長さ18cm　1本
レザーコード……太さ2mm、約8cm　1本

★ファスナーつきポーチ

製図

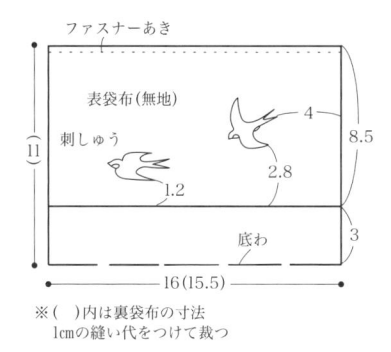

表袋布(無地)
刺しゅう
ファスナーあき
底わ
11
8.5
4
2.8
1.2
3
16(15.5)

※( )内は裏袋布の寸法
1cmの縫い代をつけて裁つ

布の裁ち方

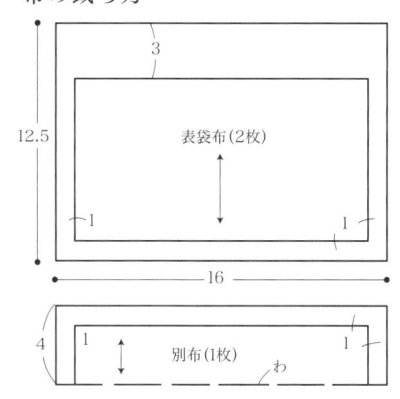

表袋布(2枚)
12.5
3
1
1
16

別布(1枚)
1
4
1
わ

作り方

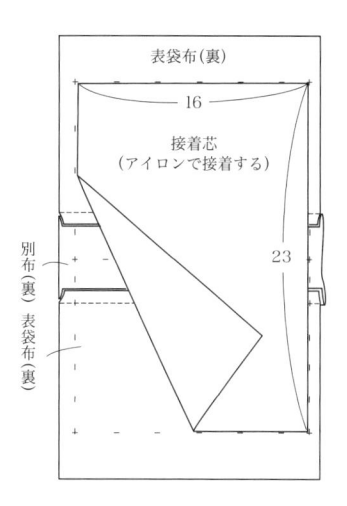

表袋布(裏)
16
接着芯(アイロンで接着する)
23
別布(裏)
表袋布(裏)

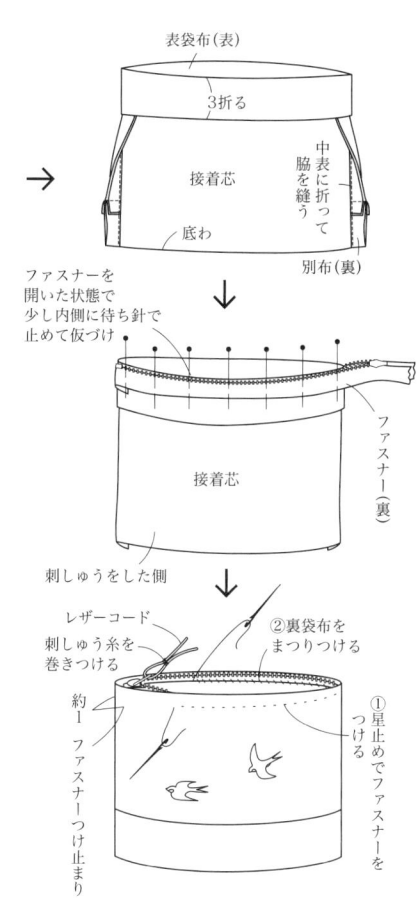

刺しゅう糸の巻き方

①コードに巻きつける
刺しゅう糸
コード

②
刺しゅう糸

表袋布(表)
3折る
中表に折って脇を縫う
接着芯
底わ
別布(裏)

ファスナーを開いた状態で少し内側に待ち針で止めて仮づけ

接着芯
ファスナー(裏)
刺しゅうをした側

レザーコード
刺しゅう糸を巻きつける
②裏袋布をまつりつける
約1
①星止めでファスナーをつける
ファスナーつけ止まり

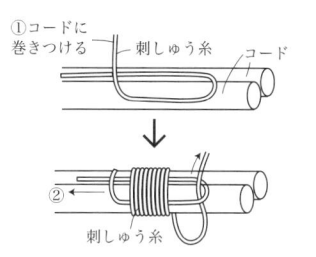

108

はな

blomst

109

はな

デンマークでは、友人が集まるときは、レストランよりもホームパーティーを開くことが多い。友人を訪ねるときはチョコや花束を持っていくのが習慣らしい。当時、まだ日本ではあまり見かけなかった小さい花束を街角の花屋さんで買い求める。ロココブーケと呼ばれていたこの小さな花束は、自分でも欲しくなるような、斬新な色合いでとても美しかった。

写す図案（実物大）　　刺す図案

刺し方

- 花の部分は、まず花を刺してから、そのすき間につぼみや葉をバランスよく刺す。

1　バスケットをベージュ（3032）でコーチングS。5本どりを1本で止める。
　　バスケットの底を（3032・1本）でアウトラインS。
2　花をピンク（223・224 各2本）でボタンホールS。中心からぐるぐると円状に、増し目をしながらかがる。糸をそのつど引き締めながら、2段めからは前段の針目のみをすくってかがり、縁は浮かせておく。
3　つぼみをクリーム（746・2本）でフレンチノットS（2回巻き）。
4　葉をライトグリーン（471・2本）でレゼーデージーS。

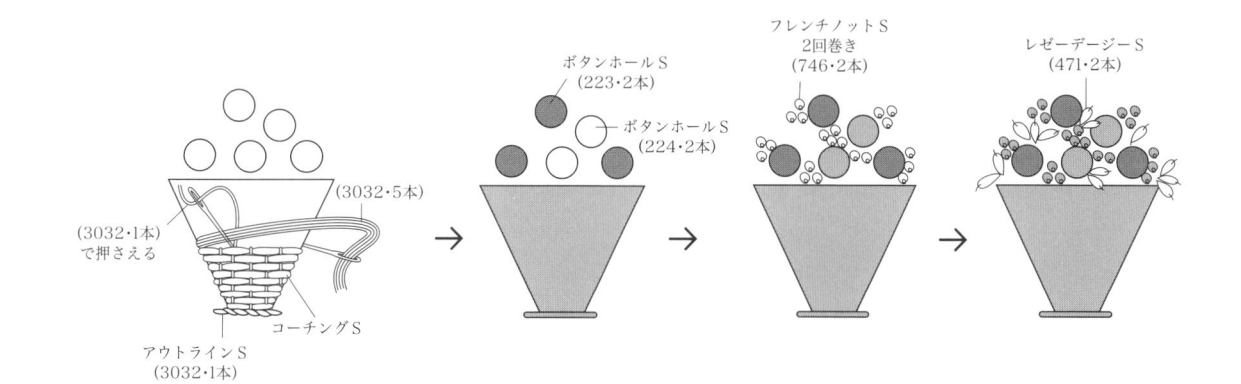

111

(3032・5本)

(3032・1本)
で押さえる

アウトラインS
(3032・1本)

コーチングS

ボタンホールS
(223・2本)

ボタンホールS
(224・2本)

フレンチノットS
2回巻き
(746・2本)

レゼーデージーS
(471・2本)

花の刺し方

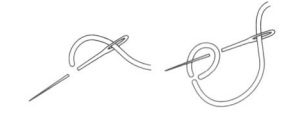

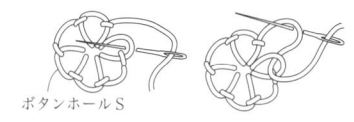

ボタンホールS

112

とうがらし

chili peber

とうがらし

2002年サッカーワールドカップの年。デンマークチームを応援するために1人韓国へ渡った。デンマークチームのユニフォームは、デンマークの国旗と同じ赤。サポーターは国旗をほおにペイントしたり、赤いユニフォームを着て応援する。試合当日、私も赤い服を着て出かけた。デンマーク応援席は見事に真っ赤にそまり、熱気に包まれていた。まるで、前日に街の露店で見かけた、とうがらしの山のようだった。

写す図案（実物大）　　刺す図案

937

347　　　347

刺し方

● サテンSは太い部分から上下に分けて刺すと形がとりやすい。

1　へたをグリーン(937・1本)でサテンS。
2　左側のとうがらしを赤(347・1本)でアウトラインS。
3　右側のとうがらしを芯入りサテンSで刺す。まず(347・2本)で輪郭線の内側にアウトラインS。次に(347・1本)で横方向にサテンS。

115

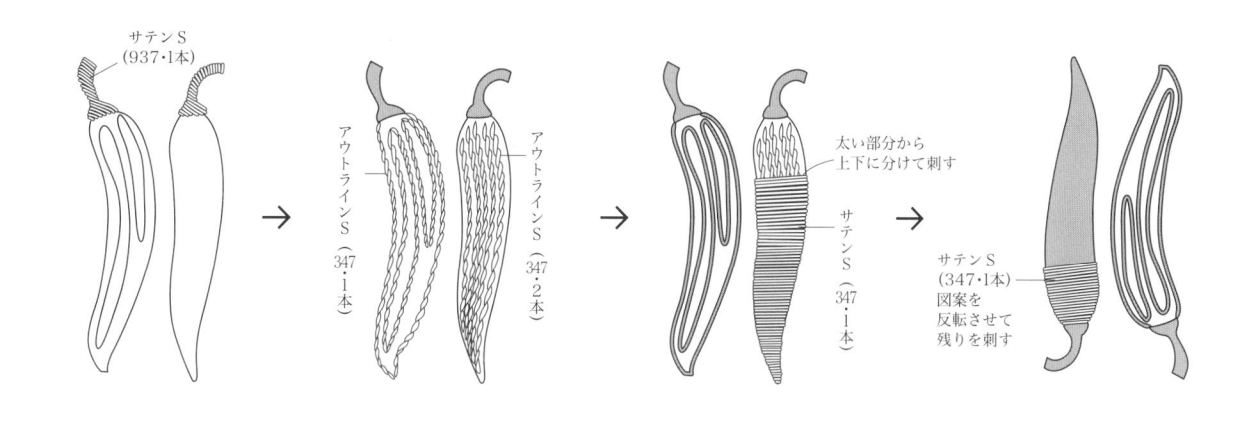

サテンS
(937・1本)

アウトラインS（347・1本）

アウトラインS（347・2本）

太い部分から
上下に分けて刺す

サテンS
(347・1本)

サテンS
(347・1本)
図案を
反転させて
残りを刺す

116

117

りんご

æble

りんご

ある休日、コペンハーゲンに住む友人が、田舎のおばあさんを訪ねるというので一緒に出かけた。小さな島に住むおばあさんの家は、小さなかわいい家だったが、庭はとても広かった。そこには、りんごの木が何本もあり、ちょうど淡いピンク色の花が美しく咲いていた。そのりんごの木の下で、ティータイム。おばあさんは、古いブランコを指差しながら、嬉しそうに思い出話を語ってくれた。

写す図案（実物大）　　　　刺す図案

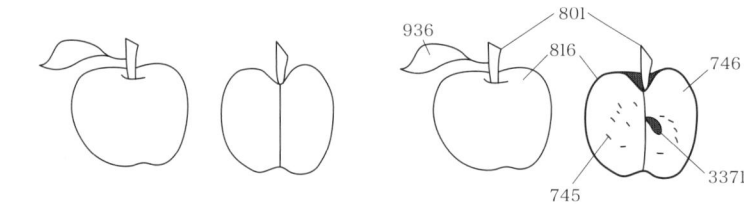

刺し方

- ロング＆ショートSは、写真を参照しながら丸みに沿うように刺す。
- すべて1本どりで刺す。

りんご
1 柄を茶(801)でサテンS。葉をグリーン(936)でアウトラインS。
2 皮を赤(816)でロング＆ショートS。

カットりんご
1 柄を(801)でサテンS。果肉部分を左右に分けてクリーム(746)でロング＆ショートS。写真を参照しながら刺す。
2 みつ部分をクリームイエロー(745)でストレートS。種を焦げ茶(3371)でバリオンS。皮を(816)でアウトラインS。

りんご

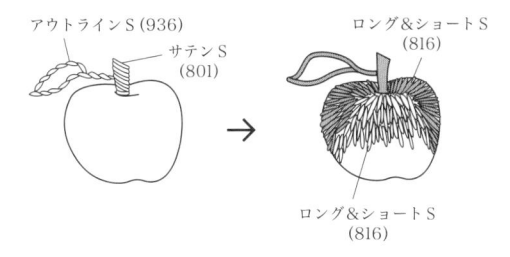

アウトラインS(936) ロング&ショートS(816)
サテンS(801)
ロング&ショートS(816)

カットりんご

サテンS(801)
ロング&ショートS(746)
バリオンS(3371)
アウトラインS(816)
ストレートS(745)

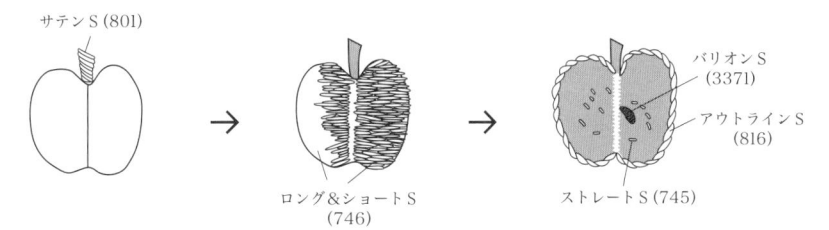

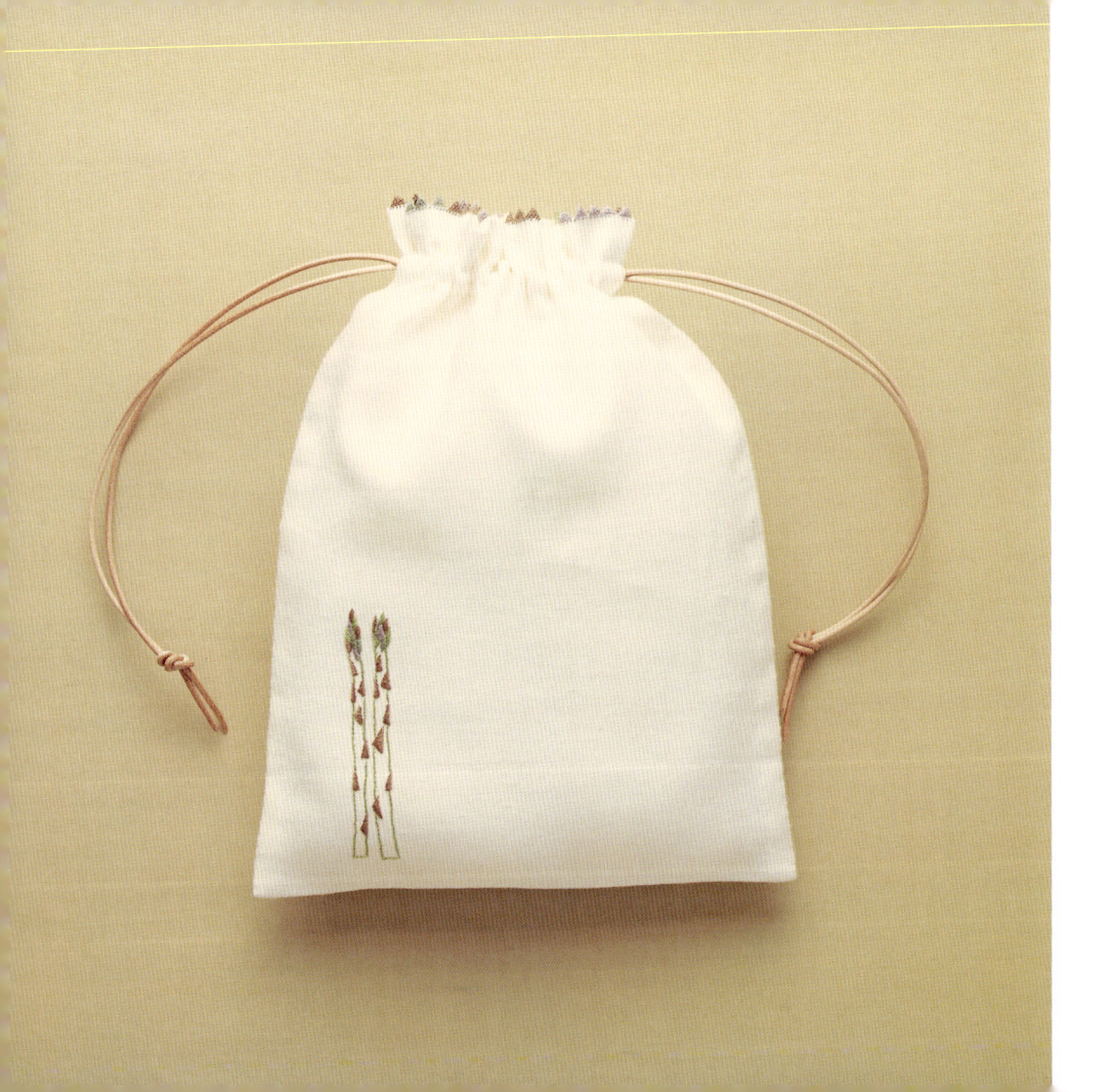

120

アスパラガス

asparges

121

アスパラガス

スモークサーモンやカレイのソテーにさっとゆでられたアスパラガスが彩りを添えてくれる。もうすっかり夏気分。どこにいても、食卓で四季を感じることができるのはとても幸せだ。北欧では夏の間、屋外で食事することが多くなる。なるべく日の光を浴びたいという気持から、強い日差しの下で短い夏を思う存分楽しむ。

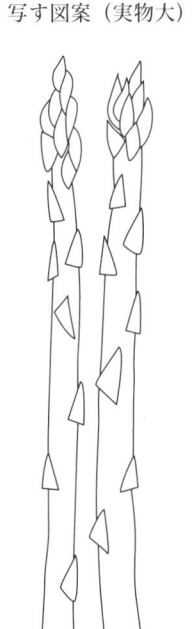

写す図案（実物大）

刺す図案

3042　471　　471

522　3042

471　522

3042

（拡大図）

サテンS（840）

アウトラインS（471）

刺し方

- 先端の配色は刺す図案にこだわらずに好みで適宜に。
- すべて1本どりで刺す。

1　下方の葉部分を薄茶(840)でサテンS、先端をライトグリーン(471)、ミントグリーン(522)、紫(3042)でそれぞれサテンS。
2　茎を(471)でアウトラインS。

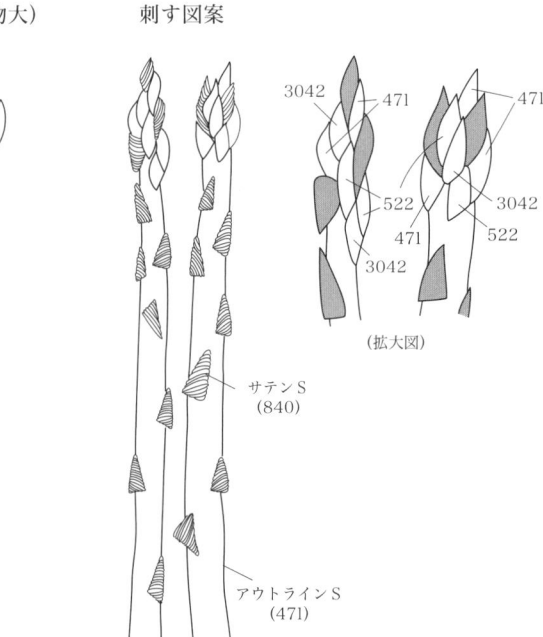

★ポーチ

製図

(図:
- 三角形の縁飾り
- 1.5
- 5
- 1
- レザーコード2本を通す
- 縫い止まり
- 23
- 袋布
- 刺しゅう
- 1.7
- 底わ
- 18
)

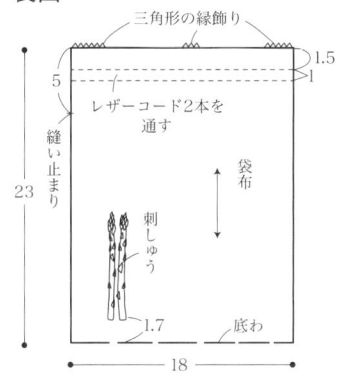

材料

麻布（袋布）……タテ53×ヨコ22cm
レザーコード……太さ2㎜、約65cm　2本
- 布の裁ち方、作り方は51ページ参照。

三角形の縁飾りのかがり方

ボタンホールSと巻きかがりで往復して下図のようにかがる。針目はできるだけ細かく、糸は一針一針引き締めてかがる。1個ずつ完成するので、連続して好みの数をかがる。

三角形の縁飾り(2本)

前　522　840　840　3042
後ろ　840　471　3042　840

1　ボタンホールS　4ループ

2　巻きかがり

3

4

5　引き締めると1と同じ針目になる

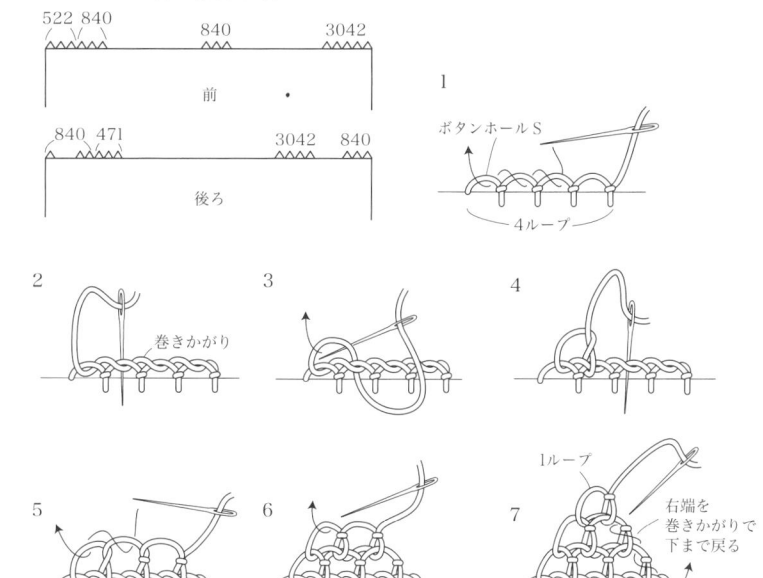

6

7　1ループ　右端を巻きかがりで下まで戻る　1ループになるまで繰り返す

124

いえ hus

125

いえ

ゆるやかな丘の向こうに見える小さな家。本当にデンマークの風景はおとぎの国のよう。5月末から6月には、黄色いじゅうたんのような大地が広がる。季節や時間でさまざまな色に変化する風景はとても美しく、今でも強く心にやきついている。そして、鳥の歌声、風にゆれる木々の音、教会の鐘の音、石畳を走る車の音など、日本では聞いたことのない、いろいろな音を思い出す。

写す図案（実物大）

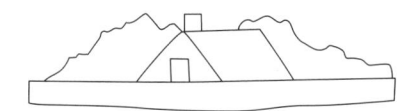

刺す図案

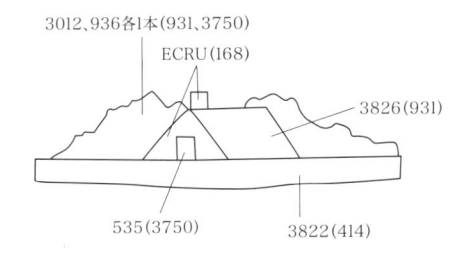

3012、936各1本(931、3750)
ECRU(168)
3826(931)
535(3750)
3822(414)

※（　）は夜景の配色

刺し方

1　煙突と壁部分をアイボリー(ECRU・2本)でサテンS。
2　ドアをグレー(535・1本)でサテンS。
3　屋根を茶(3826)でコーチングS、3本どりを1本で止める。
4　花を黄(3822・2本)でフレンチノットS（2回巻き）。
5　樹木をグリーン(3012・936 各1本)でフレンチノットS（2回巻き）。

サテンS（ECRU・2本）

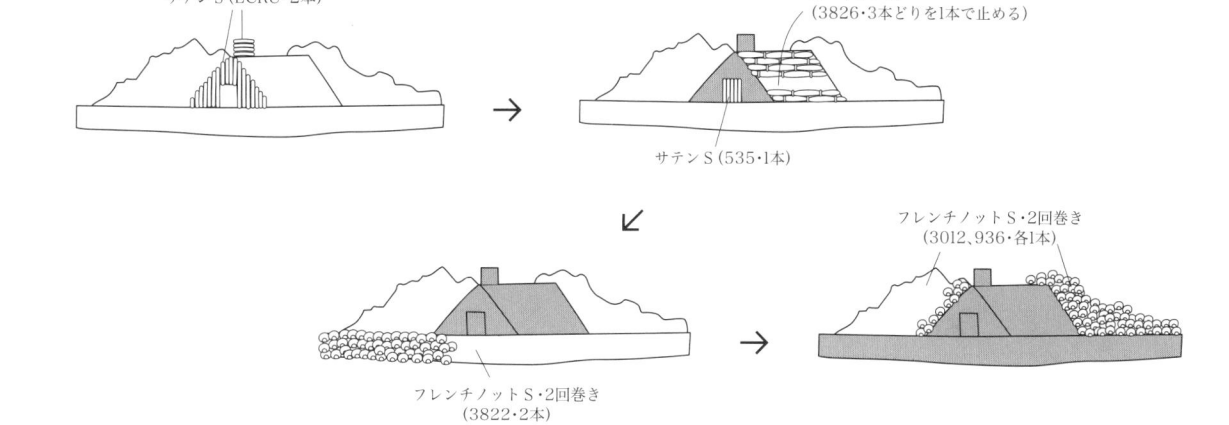

コーチングS
（3826・3本どりを1本で止める）

サテンS（535・1本）

フレンチノットS・2回巻き
（3822・2本）

フレンチノットS・2回巻き
（3012、936・各1本）

佐藤ちひろ　さとう・ちひろ

北欧クラフト作家。スウェーデンの児童文学者アストリッド・リンドグレーンの影響を受け、幼少より北欧に強い憧れを抱く。1993年、デンマーク・スカルス手工芸学校に留学、手工芸全般を学ぶ。99年に帰国後、カルチャースクールなどでデンマークの小箱・エスカや刺しゅうを教える傍ら、テレビ、雑誌、個展などで作品を発表している。
アトリエ　エスカ
http://www.aesker.com

*

刺しゅうのお教室である生徒さんが「手芸本や料理本は大人の絵本みたい」と話されていました。子どもの頃の絵本は、何度も繰り返し読みボロボロになっても大切にしておきたい、そして大人になってもずっと心のどこかに残っているものです。皆さまにとって、この本がそんな絵本のようになればとの願いを込めて作りました。私を支えてくださる皆さまに心より感謝いたします。

ちいさな刺しゅう

2006年6月15日　第1刷発行
2019年6月5日　　第17刷発行

著　者　佐藤ちひろ
　　　　©2006　Chihiro Sato
発行者　森永公紀
発行所　NHK出版
〒150-8081　東京都渋谷区宇田川町41−1
電話　0570-002-047（編集）
　　　0570-000-321（販売）
ホームページ　　http://www.nhk-book.co.jp
振替　00110-1-49701
印刷・製本　凸版印刷

ISBN978-4-14-031141-7　C2077
Printed in Japan
本書の無断複写（コピー）は、著作権法上の例外を除き、著作権侵害となります。
乱丁・落丁本はお取り替えいたします。
定価はカバーに表示してあります。

スタッフ
ブックデザイン　井上由季子（måne）
レイアウト　田中聡、小笠原陽子（デザインハウス ティーズ）
撮影　公文美和、筒井雅之（4〜5ページ）
作り方解説　唐澤紀子
トレース　大森裕美子（day studio）
校正　広地ひろ子
編集　奥村真紀、松村　苗

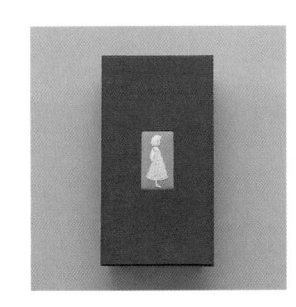